JULES BUREAU

Le goût
de la vie

TOME II

Les sources
et les racines
du goût de vivre

ÉDITIONS DU MÉRIDIEN

Les Éditions du Méridien bénéficient du soutien financier du Conseil des arts du Canada pour son programme de publication.

Le Conseil des Arts | The Canada Council
du Canada | for the arts
depuis 1957 | since 1957

DISTRIBUTEURS :

CANADA FRANCOPHONE :
Messagerie ADP
955, rue Amherst
Montréal (Québec)
H2L 3K4

EUROPE ET AFRIQUE FRANCOPHONE :
Éditions Bartholomé
16, rue Charles Steenebruggen
B-4020 Liège
Belgique

ISBN 2-89415-187-X

© Éditions du Méridien

Dépôt légal — Bibliothèque nationale du Québec, 1997
Imprimé au Canada

TOME II

Les sources et les racines du goût de vivre

Introduction

Capturer l'étincelle qui suscite le goût de vivre et découvrir les facteurs qui déclenchent la tendance vers la vie – goût et tendance qui organisent ou refont souvent toute l'existence d'une personne selon de nouvelles formes et de nouvelles manières d'être-au-monde – constituent tout un défi pour toutes les sciences de l'homme et l'enjeu premier de celui qui cherche à découvrir l'essentiel de l'art de vivre. On peut dire du goût de vivre et de l'émotion de l'intérêt à vivre qu'ils s'exercent principalement selon deux modalités : l'une, spontanée et naturelle, et qui se retrouve chez l'adulte mais plus facilement chez l'enfant sain ; l'autre, intentionnalisée, organisée, créée et établie par l'intention et la capacité de symbolisation de la personne. Certains événements de la vie possèdent plus que d'autres cette subtile qualité de stimuler spontanément le goût de vivre. L'arrivée du printemps et la naissance d'un amour font par exemple partie de ces événements particuliers porteurs d'espérance en la continuité, donc d'intérêt à vivre. Ce spontané du goût de vivre est évident et nettement perceptible chez plusieurs personnes dans certaines situations. Le goût de vivre intentionnalisé, celui qui résulte de la capacité symbolique de l'être humain, n'est pas par contre aussi évident même s'il peut se construire, s'édifier et se placer au service de la personne. C'est à cette modalité particulière du goût de vivre que s'adresse toute la problématique des sources. S'arrêter aux sources du goût de vivre, c'est avant tout chercher à comprendre qu'est-ce qui le crée. Savoir ce qui est à la base du goût de vivre, c'est savoir ultimement comment le développer. C'est essentiellement là que se situe notre objectif : trouver comment bâtir le goût de vivre et le susciter – s'il ne se manifeste pas ou plus spontanément.

Les êtres humains sont effectivement bien différents et bien individualisés quant à l'usage qu'ils font des possibles sources du goût de vivre et quant à l'aisance qu'ils manifestent à fréquenter l'une, l'autre ou plusieurs de ces sources possibles. Chacun a ses préférences et ses facilités dans les réponses qu'il s'octroie face à ses besoins, dans les préséances et la hiérarchie qu'il établit dans ses goûts et finalement, dans l'investissement qu'il fait de ses conduites et de ses activités. Chacun découvre au fur et à mesure de sa vie, même s'il leur porte trop souvent peu d'attention ou s'il les fréquente trop modestement, des sources de beauté et d'harmonie, de satisfaction et de contentement. Ce sera dans la contemplation pour certains, dans les arts ou les métiers pour d'autres ; mais peu importe exactement dans quoi, les sources du goût de vivre s'individualisent[1], et elles doivent se personnaliser pour chaque personne humaine. À chacun sa ou ses sources privilégiées du goût de vivre et à chacun de les exploiter le mieux possible. Bien prétentieux serait celui qui croit pouvoir à lui seul cerner toutes les racines du goût de vivre de tous et qui tente de les imposer ensuite de façon absolue aux autres. La réalité se situe beaucoup plus dans la nuance et le respect de l'individualité de chacun. Pour rendre service aux personnes et les aider à développer leur propre spécifique humain – ceci pendant une période où la vision technique a tendance à robotiser l'être humain – il faut un effort de réflexion et de synthèse qui s'accompagne d'humilité ; c'est le seul type qui permet de débroussailler le terrain pour en faire ressortir certains jalons de la connaissance quant aux véritables sources de la vitalité en nous, aux racines du goût de vivre, et qui en même temps respecte la spécificité essentielle de l'être humain, celle d'être personnelle, individuelle.

Le goût de vivre naît de la confrontation de la réalité présente et de la condition humaine contemporaine. Les fuir transporte de grands risques de déceptions[2]. L'homme est contemporain et le zeste de vivre doit naître dans les conditions actuelles de la civilisation – là où habite et vit l'humain. C'est dans le monde qu'elle se construit que la personne loge, et c'est dans ce monde,

---

1. Cette individualisation résulte de toute l'histoire de la personne, c'est-à-dire non seulement des événements du passé mais aussi des manières dont la personne s'est construite, s'est fabriquée, pour rencontrer la vie et l'existence. Ces sources sont donc actives, là dans le présent de la personne. Tout comme les racines de l'arbre ne se réduisent pas à un rôle de cause mais participent à l'être-là de l'arbre et sont nécessaires à son existence immédiate, de même les sources du goût de vivre nourrissent celui-ci et en assurent la qualité et l'intensité à chaque moment de la vie. Trop souvent la recherche des causes des réalités humaines réduit la découverte au passé et enferme les personnes dans le déterminisme.

malgré certains de ses atavismes, qu'elle doit se donner le goût de vivre. Les circonstances extérieures à la personne importent dans l'émergence du goût de vivre mais les rendre nécessaires et indispensables à la naissance du goût de vivre, c'est prendre le risque de tout réduire le vivre à l'état primitif de vie ; c'est la facilité de tout faire reposer la naissance du goût de vivre sur l'extérieur de la personne (sur son monde matériel et physique ou sur son monde interpersonnel). Le monde matériel et le monde interpersonnel jouent un rôle dans l'émergence du goût de vivre mais le monde interpersonnel également et surtout – ce que nous sommes parfois spontanément portés à oublier. Il importe donc de ne pas renoncer au monde interpersonnel, à ces sources qui sont à l'intérieur de la personne et qui d'une certaine façon sont sous sa responsabilité – responsabilité de faire naître le goût de vivre.

---

2. Pour atteindre ces sources, pour les rejoindre et les faire sourdre, certains prônent une certaine dé-civilisation – par exemple un retour à la vie primitive, un appel à la terre, un retour à la simplicité d'antan de vivre – pour enlever tous les obstacles contemporains à la naissance du goût de vivre. Malgré tous les avantages de la vie simple, de la vie rurale ou de celle d'antan, il y a dans cet appel à la régression, un espoir utopique.

A) Le monde intrapersonnel

Le monde intrapersonnel de l'être humain, c'est le monde de la personne avec elle-même – son univers intérieur. Il est fort peu connu malgré l'abondance des théories qui semblent l'expliquer. Sous l'ensemble de sa facture, de ses influences et de sa genèse, il demeure encore une terre inconnue[3] et mystérieuse comme une caverne inexplorée. Tous connaissent la très grande importance de leur subjectivité, par exemple les émotions qu'ils ressentent, les fantaisies et les pensées qui les habitent, mais personne n'est assuré des lois qui gouvernent toute cette vitalité intérieure et encore moins des chemins qui y mènent pour la développer et la faire croître et fructifier. C'est un peu partout à travers ces nombreuses difficultés concernant ce monde intérieur de l'être humain que nous tenterons de dégager les sources du goût de vivre et de les mettre au service du pouvoir des personnes.

---

3.   Voir May, Angel, Ellenberger (1958).

CHAPITRE 8

Le sens à vivre

Se poser la question du sens à vivre, le sien, conduit presque inévitablement à une zone de soi-même pleine d'interrogations : qu'est-ce que c'est ça, un sens à vivre ? À quoi ça sert ? Et même, comment arriver à en trouver un ? Nous tenterons de répondre à trois questions sur le sens à vivre : sa nature, le *quoi* ; son utilité ou son usage, le *pourquoi*[4] ; sa découverte ou sa naissance, le *comment*.

QU'EST-CE QU'UN SENS À VIVRE ?

Pour ressentir le goût de vivre, il faut que la vie ait du sens. Pour qu'une personne prenne du plaisir à vivre, il faut que sa vie ait un sens. Ceci est tellement clair, logique et évident. Pourtant, trop de gens conduisent leur vie comme si de rien n'était en se laissant mener au gré des événements. C'est après tout si facile de se laisser aller à conduire sa vie dans toutes les directions sans se poser la question si cette vie que l'on mène se vit en fonction d'une visée particulière, d'un sens ou d'une

---

4. Entre le quoi et le pourquoi, les différences ne sont pas toujours perceptibles. Mais nous avons, dans l'édition de 1993 du *Goût de vivre*, préciser tous les objectifs de la venue d'un sens à vivre.

véritable direction. Éviter ainsi la question du sens à vivre – de ressentir une direction et une signification à sa propre vie – c'est à la limite, troquer un goût de vivre pour un désespoir, un ennui à vivre qui risque en plus d'être contagieux pour les autres.

> À 40 ans, divorcée et mère de deux garçons qu'elle n'arrive plus à éduquer, Hélène cherche un sens à vivre : « Ma vie est plate et je ne pourrai pas continuer comme ça pendant bien longtemps. Même mes garçons ont plus besoin de leur père que de moi. À quoi sert alors la vie ? Pourquoi vivre ? Quelle différence pour cette terre que je vive encore 10, 20 ou 30 années ? Aucune ! » Et elle se traîne dans la vie sans trop savoir comment se donner une direction et cesser de se lier les pieds dans les petits détails quotidiens de son travail ou de l'entretien de sa maison.

Des questionnements comme celui de Hélène ne sont pas aussi rares qu'on peut le penser et sont encore moins une fantaisie de notre temps. C'est depuis le tout début de l'humanité que l'être humain se questionne sur son sens à vivre, et en fait il n'a jamais cessé de le faire ; depuis toujours il cherche une signification à son existence. Les réponses ont cependant été plus facilement disponibles à certaines périodes de l'humanité qu'elle le sont devenues maintenant. Auparavant, à la question du sens à vivre correspondait toujours une réponse, à certaines époques dans les croyances magiques et à d'autres dans les religions ; mais depuis quelques temps et pour plusieurs, il n'y a plus de réponse. La question reste et se pose encore mais elle demeure sans réponse. Cette absence mène plusieurs au désespoir, certains au cynisme et d'autres à l'absurdité. Le résultat est navrant car trop de vies s'écoulent et se perdent dans la morosité du non-sens et d'un non-sens la plupart du temps non avoué.

Pourquoi vivre ? Le demander à la vie c'est presque inutile parce que, pour plusieurs d'entre nous, la vie en soi, n'a pas véritablement de sens ou de signification. La vie n'a qu'une direction : continuer le plus possible, le plus longtemps possible ; cela ne lui donne pas nécessairement de sens. La continuation de la vie pour la continuation de la vie est d'une certaine façon *insignifiante*. Pourquoi continuer ? Pourquoi tant d'efforts à reprendre sans cesse si cela ne sert qu'à continuer ? À la limite, tout cela peut même devenir absurde lorsque l'on sait qu'un jour chacun de nous disparaîtra et que l'inexorable mouvement des astres finira bien par engouffrer la terre et toutes les réalisations de l'humanité. Ainsi, non seulement la durée des individus est limitée mais celle de toute l'humanité comme espèce l'est également. L'être humain comme individu et comme espèce est donc condamné à prendre conscience de sa propre finitude, abandonnant du même coup tout rêve d'immortalité pour ce qui meurt : le vivant, la vitalité et la vie.

Or, la personne humaine n'accepte pas de se contenter de cette condition absurde. Elle continue, malgré le tragique et la fragilité de son état, à chercher un sens :

un sens à sa vie, un sens à vivre dans cet univers totalement indifférent et sans aucune préoccupation quant à ses inquiétudes existentielles.

> Paul a beau se révolter et crier sur tous les toits son désespoir de vivre, cela ne donne rien. Pendant longtemps il a vécu comme un robot indifférent à la vie et aux autres – tout comme l'univers est indifférent à ceux qui l'habitent. Cela aussi n'a rien donné. Après tous ses questionnements, il découvre qu'il lui reste pourtant au moins une solution : vivre avec dignité l'absence de sens de la vie et se trouver pour lui-même, un sens à vivre – un sens qui fait qu'il vaille la peine, sa peine à lui, de vivre.

Au-delà de l'indifférence de l'univers à son égard le vivant conscient, l'être humain, peut donc – et pour vivre pleinement il doit – trouver pour et par lui-même un sens à sa continuation. Chaque personne doit trouver un sens qui lui appartienne et qui l'accompagne partout dans son bout de vie qu'elle a et aura à vivre ; c'est un sens propre à elle-même, c'est-à-dire un sens qui rendra signifiants tous ses efforts quotidiens pour vivre sa propre vie.

La personne est seule pour trouver et se trouver un sens : seule pour exercer ce pouvoir créateur de sens, seule pour ressentir ce sens et encore seule pour poursuivre ce sens. La vie en elle-même ne peut pas lui en fournir un ni les autres humains non plus ; les autres ne peuvent que favoriser la découverte d'un sens à vivre mais c'est seule que la personne doit se débrouiller. A-t-elle vraiment un sens à vivre sa vie ou n'est-ce qu'un leurre ou un faire accroire ? Comment être assuré d'avoir vraiment son sens à vivre ? Évidemment, pour cela, il faut d'abord savoir ce qu'est un sens à vivre.

Faire du sens pour soi

Qu'est-ce que c'est qu'un sens à vivre ? Tout adulte conscient sait spontanément que certaines choses *font du sens*, qu'elles ont de l'allure. « Faire du sens » cela veut dire que l'idée examinée, le projet espéré ou tout simplement, l'action à entreprendre s'intègre dans un ensemble comme une partie qui s'harmonise à un tout. *Cela fait du sens* signifie donc la cohérence et l'harmonie de ce qui est considéré dans un ensemble, quel que soit cet ensemble en autant que l'action ponctuelle ou l'idée particulière ou le projet précis s'articule (pour la personne pour qui *cela fait du sens*) avec harmonie dans un certain ensemble (lui-même prédéterminé par cette même personne pour qui *cela fait du sens*). La personne particulière est donc la seule en mesure de juger tant de *l'harmonie* que de *l'ensemble qui intègre*. Elle est seule à le faire ; personne ne peut la remplacer pour que cela fasse du sens ; personne en dehors d'elle-même ne peut décréter que cela est harmonieux et que cela est un ensemble. Le langage illustre bien le lien particulier qui existe entre une unité et son ensemble ; lien duquel le sens émerge. Un mot par exemple prend tout son sens du fait qu'il s'intègre à la phrase qui l'incorpore ; tout comme la phrase tire son plein sens du fait qu'elle s'intègre au paragraphe et à l'idée présentée. On dira alors que ce mot et cette phrase font du sens, c'est-à-dire que nous les comprenons.

> Personne n'arrive à comprendre pourquoi Guy, 45 ans, s'entraîne avec autant de vigueur et de constance à la course à pied. Pourquoi mettre tant d'énergie pour un sport plus ou moins solitaire et sans trop grand avenir pour un homme de son âge. Pourtant, pour Guy, courir fait du sens. Cela est bon pour sa santé respiratoire et pour la force de ses muscles. De plus, courir lui permet de réaliser qu'il a du pouvoir pour se donner une bonne santé – tout en l'amenant à sentir dans ses exercices réguliers et constants qu'il met de l'ordre dans sa vie. Courir fait du sens pour Guy parce que cela s'harmonise avec l'ensemble de son identité, avec ce qu'il aime penser de lui-même.

Lorsque par extension, *faire du sens* s'applique au sens à vivre d'une personne, ce jeu d'harmonie de l'individu avec un ensemble est tout aussi caractéristique. Il y a sens à vivre lorsque la personne ressent que le thème identifié comme un sens à vivre lui permet de se percevoir elle-même comme harmonieuse avec un ensemble qu'elle-même choisit. Elle ressent que sa vie constitue une partie d'un tout (un ensemble) et qu'il est utile voire même nécessaire que sa vie continue pour que l'ensemble en profite – que le tout puisse profiter de son apport et à travers lui également continuer harmonieusement. *Son sens à vivre lui fait du sens.* La personne participe au développement et au bien de l'ensemble et à cause de cela, elle a un sens à vivre. La personne ne se sent plus isolée, en dehors et inutile ; par sa vie, elle sert l'ensemble.

> Thérèse s'occupe des repas de sa maisonnée avec autant d'intérêt et de soin que si chaque jour elle construisait une maison neuve qui ferait la joie de ses occupants. Elle pense et réfléchit à l'équilibre des mets, aux besoins alimentaires de chacun et aux préférences et aux goûts de chaque membre de sa famille. Ainsi elle crée de la santé dans les corps, de la satisfaction dans les cœurs et de la joie chez les beaux vivants de sa famille. Elle est rarement insatisfaite et à peu près jamais routinière : elle aime cuisiner, cela lui donne un sens – un sens parce qu'elle participe à un ensemble : le bien-être et l'harmonie de sa famille.

En plus de permettre que la vie de la personne fasse partie d'un ensemble, le sens à vivre permet également à la personne de prendre conscience de son unicité. Par son sens à vivre, la personne se sent spéciale et particulière. Elle est ni anonyme, ni noyée dans l'ensemble. Son sens à vivre fait du sens parce qu'elle est unique et qu'elle ne peut vraiment pas être remplacée par quelqu'un d'autre. Il y aura toujours quelque chose de différent si quelqu'un d'autre la remplace ; il manquera son unicité à elle différente de celle d'un autre. Le sens à vivre fait vraiment du sens quand il y a conscience de cette unicité. Par sa complexité et sa densité, tout être humain est unique. Ceci reste vrai même s'il n'en demeure pas moins que sous certaines facettes, les personnes sont également entre elles semblables. Cela n'enlève effectivement rien au fait que dans leur essence elles sont toutes différentes et uniques, et c'est de cette conscience que le sens à vivre peut naître. Lorsqu'une personne ressent que son sens à vivre lui est approprié et lui est juste, c'est qu'elle perçoit qu'il met en valeur son unicité, c'est-à-dire qu'il exploite la personne particulière et individuelle qu'elle est. *Cela fait alors du sens.*

> Marie sait bien qu'elle est un professeur de première année comme le sont des centaines de professeurs de sa ville. Pourtant pour elle enseigner à ses « mousses » de première année et les initier à la connaissance donnent tout un sens à sa vie parce qu'elle se sent bien particulière dans cette tâche. Tous les Pierre et les Louise, les Stéphane et les Suzanne qui apprennent à lire avec Marie, tous ces enfants, ils n'en ont qu'une maîtresse de première année et c'est Marie. Elle établit avec chacun d'eux une alliance éducative bien particulière : elle éveille en eux leur potentiel de lire et elle participe à la création de leur pouvoir de lire. Quelle belle tâche ! Pour chacun d'eux, Marie est irremplaçable par sa façon bien particulière de les appeler à la connaissance. Un autre professeur ferait autrement. Cette unicité encourage Marie à se lever tous les matins pour

reprendre sa tâche. Enseigner en première
année fait du sens pour elle – cela devient
un sens à vivre.

Est donc sens à vivre ce qui utilise les particularités et même l'unicité[5] d'une personne. Or, le sentiment de son unicité résulte de la place privilégiée
qu'une personne occupe dans le cheminement original
de sa propre vie. En d'autres mots, nous nous sentons
unique d'avoir l'histoire, le présent et l'avenir que nous
avons. Le sens à vivre constitue une sorte de fil
d'Ariane à travers tous ces nombreux méandres et
détours passés, présents, mais surtout futurs de notre
vie. Par ses qualités de souplesse et de facilité à
l'adaptation aux différents événements, le sens à vivre
fait en sorte que la personne ressent de l'ordre dans sa
vie. Il permet donc non seulement de se sentir en lien
avec un ensemble mais aussi de ressentir de l'ordre
parmi les différents accidents et événements de la vie.
Comme la trame principale d'une histoire intéressante
aux multiples rebondissements, le sens à vivre guide et
sert à organiser la vie tout en lui assurant de l'ordre et
de la cohérence.

---

5. La personne humaine est consciente d'être unique, individuelle,
    et elle est la seule à être également consciente que comme tous
    les vivants, elle est mortelle. À cause de cette finitude partagée
    avec tous les autres vivants – personne ni rien de vivant n'échap-
    pe à la mort – la personne se trouve à perdre, d'une certaine fa-
    çon, son sentiment d'être unique et spéciale. Voilà un autre de
    nos nombreux paradoxes !

Le sens à vivre aide aussi la personne à intégrer plus harmonieusement les traumas de son existence (une maladie grave, un accident, une perte) en permettant de retrouver, malgré un trauma, un monde ordonné et intentionnalisé. Pour la plupart des gens, le monde est ordonné en autant qu'il soit juste (approprié à nos comportements) et cohérent (qu'on peut le prévoir et qu'il sert la personne). Il est intentionnalisé en autant que les événements qui surviennent servent une fin et qu'il permet à la personne d'atteindre ses buts. Si la personne réalise qu'elle ne peut plus atteindre ses buts, elle perd un bien-être subjectif et risque, si les buts sont importants, de déprimer.

> Louis s'est toujours intéressé aux enfants. Il considère que le temps le plus vivant, le plus authentique et le plus rafraîchissant à vivre, c'est l'enfance. Être avec des enfants, ça réveille sa vitalité et son goût de vivre ! À l'adolescence, il s'occupait de scoutisme. Comme jeune adulte, il était instructeur au hockey mineur. Sa « carrière » avec les enfants a cependant connu bien des hauts et des bas. Par exemple, il a été injustement accusé d'abus sexuel ; il s'en est sorti – puis avec ses propres enfants qu'il adorait, il connut tous les problèmes qu'un père moderne pouvait connaître : drogues, abandon scolaire, etc. Il continue pourtant à adorer les enfants. Il essaie par ses recherches de mieux comprendre cette période magique et

merveilleuse de la vie de l'humain : l'enfance.

Parce qu'il suscite la référence à l'ensemble, à l'ordre et à l'harmonie de sa vie et à la cohérence des unités de vie, le sens à vivre joue également un rôle d'évaluateur-évaluateur dans le vrai sens du terme, c'est-à-dire de donner de la valeur, de reconnaître de la valeur à une chose. Le sens à vivre permet donc aussi d'accorder de la valeur aux différentes conduites de sa vie. Les comportements, les actions, les projets et les efforts prennent de la valeur par le lien qu'ils établissent avec le sens à vivre. Ainsi le sens à vivre, en plus de *faire du sens* de ce qu'est, fait et vit la personne, donne de la valeur à ce qu'elle est, fait et vit.

> Marie se remet de nouveau à étudier la grammaire française. Elle plonge pour une nouvelle fois, après des centaines et des centaines d'exercices, dans les accords difficiles et les orthographes compliquées. Chacun de ses efforts vaut la peine parce qu'ainsi elle développe encore plus ses qualités de communication, et c'est d'ailleurs pourquoi elle accepte avec bonheur de consacrer tous ses loisirs à cette tâche.

En fait, le sens à vivre agit comme un principe organisateur dans la vie d'une personne. Avec son sens à vivre, la personne sait ce qu'elle veut et ce qu'elle désire tant dans le moment présent que dans ses projets, qu'ils soient immédiats ou lointains. Le sens à vivre permet de transcender les réalités quotidiennes concrètes et routinières pour placer la personne en état de projet. La fonction organisatrice particulière du sens à vivre fait effectivement que la personne se situe comme au-dessus du quotidien et porte un regard neuf, global et plein de perspective sur sa vie, et c'est ce qui lui permet de se donner elle-même une direction.

Le sens à vivre entretient une relation d'inter-créativité avec l'identité : l'identité permet l'émergence d'un sens à vivre – le sens à vivre naissant à partir de l'unicité de la personne – et le sens à vivre consolide et enracine l'identité (l'unicité) de la personne. La personne se confirme donc comme personne par son sens à vivre ; elle devient pleine de significations. C'est ce que la langue anglaise nomme très justement *meaningfullness* : le sens à vivre devient pour la personne –*meaningfullness* – c'est-à-dire rempli et débordant de significations.

C'est parce qu'il s'enracine dans toute la personne – qu'il occupe et demande l'apport de tout ce qu'elle est comme personne – que le sens à vivre provoque un tel sentiment de plénitude. Le sens à vivre transcende le quotidien mais pas la personne[6]. Le sens à vivre n'est jamais au-dessus de la personne car il s'enracine à l'intérieur d'elle dans sa totalité de personne : son corporel,

---

6. Si le sens à vivre est « self-transcendent » – au-dessus des sois ou d'une certaine sur-conscience de soi – il ne transcende pas l'ensemble de la personne : l'expérience, le Je, les sois, les rôles, etc. (voir Bureau, 1978). De plus, la transcendance implique toujours l'intégration de ce qui est transcendé en le transformant. Le transcendé n'est pas nié, il change de forme.

son imaginaire, son cognitif, son spirituel, etc. Le sens à vivre mobilise toute la personne qui, à travers lui, devient toute pleine de significations. Il serait même plus juste de dire que la personne ne se choisit pas un sens à vivre par un acte d'intelligence pure comme on choisit par exemple un objet sur les rayons d'un magasin libre-service ; la personne est *saisie* par son sens à vivre – par une implication et un engagement de tout son être particulièrement le cœur et l'esprit (l'âme).

> Me lever le matin, bien déjeuner, faire de l'exercice en me dirigeant à mon bureau tout autant que le silence et le calme que je me donne pour réfléchir et organiser mes données de recherches, la qualité de mon écriture ou les images de mon imagination – tout cela fait du sens pour mettre au monde mes recherches et faire avancer la connaissance de l'humain. C'est ma vie qui a du sens par mes recherches ; ce n'est pas seulement ma réputation de chercheur auprès de mes collègues.

À cause de la plénitude qu'il crée à l'intérieur de la personne, le sens à vivre n'est pas à confondre avec *la raison de vivre, le but de sa vie, le projet de vie, la signification ou la significativité de sa vie, le schème de vie et l'idéal de vie*. Ces notions possèdent toutes évidemment des liens avec le sens à vivre mais elles s'en distinguent également toutes sur plusieurs points[7].

Le *sens à vivre* – à cause de sa capacité d'intégration de toute la personne, sa globalité, et particulièrement son dynamisme – peut susciter avec constance le goût de vivre, l'élan et la tendance vers la vie. Le sens à vivre utilise toute la personne, et il n'a pas de temps favori si ce n'est le temps vivant.

Ses liens avec l'identité : continuité et souplesse

Parler du sens à vivre, c'est aussi inévitablement parler de continuité et alors d'identité. Le sens à vivre puise avec abondance dans le présent ce qui ne l'empêche toutefois pas de garder des affinités et des liens privilégiés avec le passé, l'histoire de la personne. D'une certaine façon, le sens à vivre qui se vit présentement s'est longtemps préparé ; il est en partie le résultat organisé de tout ce que la personne a vécu précédemment. Il y a donc continuité dans les racines du sens à vivre et ce, même si la manière-d'être-au-monde du sens à vivre peut changer tout au cours de la vie. Cette continuité s'explique d'ailleurs par l'identité de la personne – ce qu'elle est, ce qu'elle pense d'elle – qui est la principale source de son sens à vivre et qui s'articule elle aussi avec certaines facettes importantes de continuité. En d'autres mots, c'est un peu comme une chaîne : la continuité permet une grande partie de l'identité ; l'identité permet le sens à vivre ; le sens à vivre s'appuie sur la continuité et la renforce ; la continuité ainsi renforcée par

---

7. Dans l'édition de 1993 du *Goût de Vivre*, nous avons départager ces notions et expliciter leur portée pour saisir encore plus ce que nous entendons par *sens à vivre*.

le sens à vivre renforce à son tour l'identité qui elle renforce le sens à vivre ; ainsi de suite.

Que le sens à vivre s'inscrive dans la continuité – source et produit de l'identité – n'implique cependant pas qu'il soit rigide ou statique. Le sens à vivre n'est pas un état stable, fixe et inébranlable. Toujours à construire, il accueille plutôt le mouvement et le changement. Dans son paraître (ses manifestations), il fluctue et bouge sans jamais retenir et figer l'humain. En fait, la personne est toujours à la recherche et à la construction de son sens à vivre, c'est-à-dire qu'elle l'entretient et le développe sans cesse tout comme elle n'a jamais fini d'explorer et de découvrir son humanité[8]. Le sens à vivre se développe avec la personne. La personne reste la même malgré les vicissitudes de la vie ; l'essentiel du sens à vivre reste aussi le même (continuité) malgré ou même si certaines facettes prennent plus d'importance à certains moments qu'à d'autres (mouvement) ou que son mode d'expression varie (changement). Des nuances nouvelles du sens à vivre apparaissent, des angles différents sont soulevés qui deviennent insistants pour un temps et se reprennent autrement par la suite.

> Marie-Hélène cherche à comprendre les relations entre les êtres humains. Depuis qu'elle est toute petite, elle est toute intérieure et réflexive. La dernière née d'une nombreuse famille, elle regardait ses frères

---

8.   Voir Légaut, M. (1971).

et sœurs et ses parents interagirent, et elle réfléchissait à tout cela. Pourquoi cette parole ? Qu'est-ce que veut vraiment dire sa sœur lorsqu'elle parle à sa mère ? Pourquoi ses deux frères aînés s'aiment tellement ? Aujourd'hui, à 30 ans, elle aime toujours fouiller les relations entre les membres de sa famille. Mais ce sont les relations entre les hommes et les femmes qui la fascinent. Elle regarde ce qu'ils et elles sont. Elle lit sur ces relations dans d'autres cultures. Elle continue toujours son sens à vivre mais différemment, dans son métier d'anthropologue et de sexologue. Elle espère un jour écrire un livre sur le désir de l'autre et ses obstacles.

Souvent juste au bout du désespoir

Un sens à vivre se conscientise ou plus précisément se manifeste par une de ses manières-d'être-au-monde auparavant inconnue très souvent lorsque la difficulté, la misère et même le malheur s'abattent sur la personne. La plupart du temps, quand le ciel de la vie est sombre et chargé, une nouvelle et riche nuance du sens à vivre mijote et, éventuellement, émerge. L'humanité du vivant et sa conscience de la vie naissent paradoxalement du désespoir de vivre. C'est parce que la personne est capable de désespérer qu'elle en arrive à enrichir son sens à vivre et à trouver l'espérance. Le malheur et le désespoir approfondissent la personne et lui permettent de loger en elle d'autres valeurs. La capacité de désespérer rend effectivement la personne sensible à son style de vie que souvent elle découvre ou ressent comme désastreux – ce qui peut à court terme augmenter son désespoir mais à moyen terme la pointe plutôt sur de nouvelles façons d'être et de vivre. Le désespoir fait donc partie de notre humanité pour nous aider à retrouver le phare, la direction, lorsque tout autour se défait. Sa morsure est cruelle mais elle finit par ragaillardir et par repolariser la personne vers l'authenticité de vivre.

Tant que Daniel se cabrait tout l'organisme pour ne plus sombrer dans le trou noir de ses 20 ans, sa vie n'était que superficielle. Il s'efforçait de vivre selon des slogans : Pourtant, ces belles paroles n'arrivaient pas à faire disparaître cette vague tristesse qu'il secouait le matin par du jogging et des grandes respirations, et le soir, par quelques bons verres de vin. À la mort de son fils dans un accident de moto, il s'écroule – ni slogan, ni jogging ne le retient – il sombre dans le désespoir. Il avait tellement vécu pour préparer la vie de son fils, pour le nourrir, le vêtir, l'éduquer, lui faire une belle vie et voilà que tous ses efforts, tous ses rêves, toutes ses énergies avaient été et étaient inutiles, *son fils était mort*, bêtement mort dans un accident de la route. La souffrance de son désespoir lui déchirait le ventre. Il a pensé au suicide pour faire cesser son mal. Il a perdu tout intérêt à vivre et à continuer. Il vivait comme s'il rêvait des cauchemars. Une nuit, alors qu'il ne pouvait pas dormir et que le désespoir avait atteint son paroxysme, il a senti naître en lui un thème nouveau et apaisant : *celui qu'on ne peut pas vivre la vie d'une autre personne – que ce n'est que notre propre vie que nous pouvons vivre*. Il réalise que tous ses efforts pour vivre la vie de son fils à la place de celui-ci avaient été inutiles parce que voués à l'échec au départ. Même la vie d'un fils, son propre fils, ne peut pas être vécue par le père. Le père donne la vie et ensuite, il doit se retirer. Ce thème l'a secoué. Il a pleuré l'inutilité de ses efforts pour ensuite pleurer le deuil réel de son fils. Les mois qui suivirent le réconcilièrent avec le tragique de la vie. Il a laissé son jogging, souri de ses anciens slogans et repris en profondeur sa manière de vivre, une manière plus respectueuse de sa *propre* vie.

C'est quand on est désespéré qu'on se rend compte de la valeur de la vie, de sa propre vie et surtout de son sens – un peu comme c'est trop souvent quand nous risquons de la perdre ou proche de la mort qu'on se rend compte de l'importance et du précieux de la vie. La possibilité de ressentir du désespoir augmente la capacité de percevoir le sérieux et le tragique de la vie ; on ne gaspille pas ce qui est tragique. De là, la sérieuse nécessité de rechercher – et de trouver – un sens à vivre, et le besoin pressant de ne plus vivre à la surface de soi-même. Le désespoir aide la personne à s'approfondir et malgré la souffrance et parfois les risques du suicide, il lui permet d'affirmer sa nature de vivant et de lui donner du sens. D'une certaine façon, il y a donc un sens à vivre qui naît du côté éloigné, juste au bout du désespoir.

La qualité de vie, mais pour qui? La société? La personne?

Le sens à vivre permet aussi de mordre davantage dans la réalité en suscitant comme un zeste à vivre. C'est par sa propension à établir des ponts avec l'affectif que le sens à vivre permet cela. En effet, tout en conservant sa parenté privilégiée avec le cognitif et l'intellect, le sens à vivre dépasse le simple point de vue rationnel et passif pour établir une polarisation dynamique avec la vie. Le sens à vivre dynamise la relation de la personne avec la vie ; il l'entraîne à agir avec et dans la vie. Le sens à vivre n'est donc pas qu'une simple recherche de qualité de vie ou encore de confort dans la vie – même si de nos jours il est fréquent de discourir sur la qualité de vie et d'y voir tout comme l'espérance de vie ou le produit national brut, un indicateur sociétal du progrès. Une société qui vise à atteindre l'objectif de la qualité de vie de ses concitoyens ne peut pas malgré cela se substituer aux personnes dans leur conquête d'un sens à vivre personnel ; pas plus d'ailleurs que cet objectif peut garantir à lui seul de maintenir la vie et d'assurer sa continuité. La qualité de vie[9] est certes fort appétissante pour tous et chacun mais jamais elle ne saurait remplacer le sens à vivre et éveiller comme lui la vitalité et le goût de vivre. Il est même possible de croire qu'une société qui recherche exclusivement en tant que société l'établissement, le maintien et la poursuite de la qualité de la vie risque fortement d'entrer en contradiction avec le sens à vivre personnel et de l'éteindre.

Et la vie vaut la peine d'avoir une qualité si les personnes possèdent le *sens à vivre* qui mord dans la réalité et qui cherche à faire continuer la vie. Sous sa dimension dynamique, le sens à vivre précède le goût de vivre. Le sens à vivre peut même exister sans le goût de vivre parce qu'il possède cette qualité de zeste à vivre et de motivation à continuer la vie, la sienne et celle des autres autour de lui. Or le désespoir de bien des humains qui les entraîne à faire cesser la vie repose sur l'absence, la carence ou la faiblesse du zeste à vivre, caractéristique essentielle du sens à vivre.

Même si la société réussit à maintenir la vie et à la prolonger, sans son sens à vivre, la personne ne sait pas quoi en faire, c'est-à-dire qu'elle ne mord pas dans cette vie qu'on lui donne ou qu'on protège si généreusement, et même qu'elle a connu dans le passé des conditions et des situations finalement beaucoup plus misérables que le confort douillet contemporain – ce qui n'a d'ailleurs jamais empêché son sens à vivre et son zeste

---

9.   La vraie qualité de la vie – la vitalité – ne saurait être programmée, perçue ou prédite parce que la vitalité repose sur la spontanéité et la gratuité. On ne peut pas programmer la spontanéité. Il y a même un certain détournement de la qualité de vie qui peut servir une vision mécaniciste ou technologique du monde mais bien peu le sens à vivre des humains.

à vivre de fleurir. L'être humain a effectivement bûché pour défricher des pays, il s'est battu contre les éléments, il s'est engagé dans des guerres, et aussi étrange que cela puisse paraître, et peut-être à cause de cela, la vie prenait alors tout son sens. Il avait donc du sens à vivre.

Tout a toujours été trop facile pour Paul. Il était le favori de sa mère et son père l'admirait. Il était premier de classe et devenait un champion dans tous les sports qu'il pratiquait. On disait de lui qu'il avait tous les talents. À l'adolescence, chaque jeune fille voulait en faire son cavalier et il n'avait qu'à choisir. Il a choisi d'épouser la plus riche sans savoir cependant qu'il était en train de préparer une bombe à retardement dans sa vie. Effectivement, tranquillement, sa vie a commencé à devenir insignifiante, sans sens. Il avait tout et n'avait plus rien à conquérir — tout devenait moche. L'épouse la plus gentille, la profession la plus rémunératrice, la maison la plus confortable, mais rien n'était à bûcher si ce n'est l'amour de sa femme qu'il n'arrivait pas à susciter. Elle ne l'aimait pas. N'ayant jamais été obligé de se battre pour conquérir, Paul dépérit silencieusement. Il perdit sa flamboyance et il se retirait de plus en plus de ses contacts avec les autres. Un jour il s'est suicidé : la vie ne valait plus la peine d'être continuée, avait-il écrit. Ses amis ne comprenaient pas qu'il puisse se suicider parce que sa femme ne l'aimait pas. C'était trop ordinaire pour quelqu'un qui avait tout. Mais pour Paul dont le sens à vivre était si blême, c'était la mort qui prenait tout son sens parce que sa vie n'avait vraiment plus de sens.

Une vie ne peut avoir une qualité[10] que si elle est d'abord vivante et pétillante. En dehors de ce zeste, elle n'est pas « vivable » et elle le sera seulement, et seulement si, sa qualité intrinsèque de vitalité rencontre et confronte la difficile réalité. Ce qui rend la vie pétillante ce n'est donc pas la qualité de vie telle que nous la propose la société mais bien la polarisation de la personne vivante avec la vie. Cela implique, entre autres, l'interaction constante de la personne avec, c'est-à-dire avec ses difficultés et ses facilités, ses résistances et ses oppositions comme avec ses conquêtes et ses intégrations. Il y a de la vie dans le combat difficile avec la réalité.

---

10. C'est tautologique de parler de qualité de la vie – lorsque la vie est présente, elle a nécessairement de la qualité : elle est vivante, elle vitalise. Il vaudrait mieux parler de vitalité et alors par exemple, souhaiter la vitalité d'un milieu de travail, favoriser la vitalité d'un centre-ville, etc. La très grande qualité d'une personne, d'une oeuvre, d'une chose, c'est sa vitalité – elle transpire la vie. Le *David* de Michel-Ange par exemple, est encore et toujours un chef-d'oeuvre qui attire notre intérêt même après tous ces siècles, parce que malgré les milliers d'années depuis sa mort, David est encore vivant pour nous à travers sa présence si près de la vie dans la sculpture de Michel-Ange.

En somme, le sens à vivre possède cette caractéristique dynamique de faire continuer la vie, de la poursuivre et de l'augmenter malgré l'opposition, la résistance et même l'inertie. Par cela, le sens à vivre favorise le sentiment que la vie vaut la peine d'être vécue et qu'il est même possible de la savourer, d'en avoir le goût.

Un engagement dynamique et personnel envers la vie, soi-même et les autres

Le sens à vivre est d'abord et avant tout une affaire personnelle, un engagement de la personne envers elle-même et envers sa vie. Mais il garde en même temps une dimension sociale ou communautaire. L'être humain est effectivement tout autant seul qu'il est en relation avec les autres et avec son monde. Pour lui, vivre implique nécessairement une certaine solidarité avec les autres humains : cela découle de sa nature même d'humain. À cause de cette solidarité inhérente à sa nature d'humain, le sens à vivre d'une personne comporte très souvent un lien avec la communauté ou une alliance avec les autres. Par exemple, une personne honnête et authentique peut élargir son développement jusqu'au *soin* de l'autre, au souci pour l'autre. Elle développe sa capacité du souci pour l'autre tout en respectant la liberté de cet autre et tout en désirant son autonomie et sa croissance par lui-même.

Par cette chaude solidarité avec les autres, le sens à vivre se colore souvent d'engagement à une cause humaine. Ce n'est toutefois pas un engagement aveugle et sans compromis qui s'exerce au profit de la personne et de ses idées vécues et présentées comme absolument véridiques et alors au détriment de la subjectivité des autres. C'est plutôt un engagement qui consiste au contraire à travailler pour une cause et à mobiliser ses énergies au service d'une idée tout en respectant la relativité des êtres humains, leur inconstance et leur changement. Rien n'est définitif et absolu. Par exemple, *hier*, c'était défendre les autochtones opprimés; *aujourd'hui*, c'est aider ces autochtones à ce qu'ils prennent eux-mêmes en main leur développement; *demain*, ce sera peut-être contester leurs revendications. L'engagement à une cause issue du sens à vivre est clairvoyant, et en ce sens, il sert mieux la vie dans son essence de continuité. Lorsque la solidarité humaine engendre l'engagement à une cause, le sens à vivre permet à la personne de se transcender ou de se dépasser elle-même tout en demeurant liée à ce qu'elle est profondément. Cette solidarité suscite alors encore plus d'humanité en mettant de la conscience sur le primitif.

La personne devient souvent plus grande qu'elle-même parce qu'elle s'est liée à un ensemble, une collectivité, pour qui elle travaille avec toutes ses forces et avec toutes ses ressources. Son sens à vivre s'autogénère par la chance qu'elle a de contribuer à quelque chose qui est plus grand qu'elle. Cela peut être, et est souvent, sa propre famille, ses enfants et son conjoint, ou toute autre collectivité qui peut éveiller la noblesse latente dans la personne. Ainsi, par son sens à vivre, la personne s'assure une continuité encore plus grande que la sienne propre car sa cause lui survivra. Par son sens à vivre, la personne est comme prise par-dessus elle-même, en quelque sorte soulevée en dehors et au-dessus d'elle-même, parce qu'elle devient aussi une partie coopérante d'un système plus vaste qu'elle[11].

La poursuite de la vie et l'assurance de la continuité du vivant jouent le rôle de baromètre quant à la détermination de la qualité communautaire d'un sens à vivre. La question est en fait la suivante : la vie et la vitalité de la personne qui s'engage et celles des personnes à qui s'adresse l'engagement, sont-elles assurées par ce sens à vivre ? La réponse doit être affirmative dans les *deux* cas, c'est-à-dire que le sens à vivre ne doit pas privilégier son objectif communautaire au détriment de la vitalité de la personne. La personne doit toujours respecter ce qu'elle est comme personne et l'engagement à une cause doit demeurer lié à ce qu'elle est. En effet, la personne consciente protège et solidifie d'abord sa propre source de vitalité avant de s'engager à la dépenser pour les autres ; ce n'est qu'ensuite qu'elle peut se permettre de s'inquiéter si son engagement face aux autres n'atteint pas son objectif, à savoir celui de les stimuler à vivre et à goûter plus à leur vie. Le sens à vivre est un sens à la vie, pas à la mort. Il doit donc

---

11. Voir les travaux de A. Maslow (1954) sur le sens à vivre des personnes actualisées et ceux de Will Durant (1932), historien et philosophe, sur le sens que les hommes célèbres ont donné à leur vie.

exclusivement servir la vie et la vitalité – en premier lieu celle de la personne et ensuite, seulement ensuite, celle de la communauté ou du groupe.

À une époque donnée, Jim s'est sauvé de la désespérance par l'engagement à son développement et à son dépassement. Ce qu'il voulait pour lui-même, il le voulait aussi pour les autres : ses enfants, ses amis, ses compagnes. Il y travaillait avec acharnement. Puis vint le temps de l'engagement social. Il se cherchait une cause humanitaire à défendre. Il se sentait misérable d'être préoccupé que de son seul développement et de celui de ceux et celles qu'il aimait. Pourtant, aucune cause ne lui semblait vraiment appropriée. Lentement, il a perdu le goût de son propre développement et de sa propre croissance, et de plus en plus il s'éteignait. Un jour, il décide de mettre de l'ordre dans tous ses objectifs de vie. Pourquoi le dépassement ? Pourquoi la croissance ? L'engagement ? À quoi et à qui tout cela sert ? Pourquoi pousser ses amis et ses amours vers la croissance ? Le sens lui apparaît lentement, tout comme se déploie une rose : *afin de mieux servir la vie et sa continuité.* Or, pour vraiment rejoindre cette caractéristique, le vivant conscient doit protéger lui-même sa propre vie. Jim reprend ses priorités, redéfinit ses objectifs, réoriente ses actions et ses conduites, en tenant compte de ce point de départ : sa propre vie, la continuité et le maintien de sa propre vie avant de se lancer dans son développement et celui des autres. On ne se dépasse que si on existe. On ne s'engage que si on est quelqu'un, *là* et *bien identifié*.

Sens personnel et sens cosmique

Savoir davantage de quoi il s'agit quand on parle de sens à vivre et même voir dans le sens à vivre une source essentielle du goût de vivre donne-t-il en soi une réponse à une des questions de départ, c'est-à-dire la vie a-t-elle un sens ? Si on peut maintenant accepter que la personne peut avoir un sens à vivre, peut-on aussi plus objectivement considérer la vie et y découvrir en plus d'une direction vers la continuité, un sens ?

Le sens de la vie peut bel et bien exister pour certains sauf que pour en prendre conscience, il faut s'arrêter à son sens cosmique[12] – à la recherche d'un sens cosmique à la vie. Ce sens cosmique de la vie, certains semblent le connaître et le ressentir plus que d'autres, et certains, la plupart, y sont complètement indifférents. Il fait appel à un ordre de l'univers, comme à un grand plan d'ensemble auquel chaque petite vie particulière et chaque petit morceau de vivant participent ; chacun d'eux contribue à sa manière à l'harmonie de l'ensemble[13]. Ce

---

12. Par *cosmique*, il faut entendre relié au cosmos, à l'univers dans son ensemble. Il ne s'agit pas d'un thème ésotérique ou du nouvel âge même si celui-ci utilise souvent le terme.
13. Voir Teilhard de Chardin, P. (1955), Reeves, H. (1986).

sens à la vie se retrouve par exemple chez ceux qui ces dernières années ont développé un souci écologique et qui prennent au sérieux toute attaque à la vie, aussi particulière et minime qu'elle soit[14]. Le sens cosmique à la vie surpasse et intègre dans son ensemble les vivants conscients que sont les êtres humains. Chaque personne sent alors qu'elle fait partie de l'ensemble des vivants, qu'elle a une place et qu'elle participe, à sa façon, au développement de l'humanité tout au cours de sa vie[15].

Sens à vivre personnel et sens cosmique de la vie ne vont pas toujours de pair. Un sens à vivre personnel peut exister sans que la personne ne ressente un sens cosmique de la vie. Le contraire est cependant peu fréquent, c'est-à-dire qu'une personne possède un sens cosmique à la vie sans un sens à vivre personnel. Cela arrive chez certaines personnes qui ne sont mues que par les biens supérieurs de la collectivité (par exemple,

---

14. Là, comme ailleurs, l'exagération est possible. Par un souci de protéger certains vivants (les animaux), la personne peut arriver à en détruire d'autres (les humains) dans leur vitalité psychique ou morale et parfois même dans leur vie réelle. Prenons l'exemple de l'avortement : d'un côté, le mouvement pro-vie qui privilégie inconditionnellement la vie réelle du foetus au détriment du bien-être et de la vitalité psychique de la mère ; de l'autre côté, le mouvement de l'avortement libre qui privilégie inconditionnellement le bien-être psychique de la mère au détriment de la vie réelle de l'enfant. L'un comme l'autre lorsqu'il adopte un point de vue extrême, exagéré et sans nuance, nuit à la cause du vivant en général.

les religieuses contemplatives et cloîtrées) sans que leur propre vie ne soit vraiment investie par leur intérêt. Elles laissent le contact avec leur réalité concrète, biologique, personnelle ou interpersonnelle et sociale pour privilégier la communication avec un idéal ou un être suprême. S'agit-il pour toutes ces personnes d'une réponse à une attente des autres ou d'une véritable adhésion personnelle, la question reste ouverte.

COMMENT TROUVER UN SENS À VIVRE ?

Quelles sont les voies susceptibles de conduire une personne à se donner un sens à vivre[16] ? Comment arriver à se donner un sens à vivre ? Comment faire pour être assuré qu'il s'agit vraiment de notre sens à vivre à nous plutôt qu'un reflet des attentes sociales ou un résultat des pressions à la conformité par les influences contemporaines ?

---

15. Certaines personnes souffrent justement de ne pas sentir leur place dans cet ordre cosmique de la vie. Elles ressentent bien un sens cosmique à la vie, mais pas de leur vie. Elles se considèrent ni adéquates, ni cohérentes dans l'univers. Il importe qu'elles retrouvent d'abord leur propre sens à vivre pour ensuite confronter ce sens cosmique à la vie.

16. Le simple fait de chercher un sens à vivre, la démarche en elle-même, est utile pour la personne même si, en bout de ligne, elle n'en trouvait aucun. Sa démarche la mobilise, elle et ses ressources. Elle se dynamise par sa recherche. Elle cherche et en cela, elle continue et elle poursuit sa vie – et la plupart du temps ainsi, elle trouve.

Transcender le quotidien

Trouver et tenir à un sens à vivre, c'est assez simple lorsque la perspective est large et que les données touchent à toute l'humanité – soulager la misère humaine, susciter l'amour fraternel des peuples, promouvoir la paix entre les nations ; trouver un sens à vivre dans le quotidien, le jour le jour et dans la vie répétée des petits gestes anodins, c'est différent, et beaucoup plus difficile. Gagner son pain, rejoindre les deux bouts et conserver sa santé mobilisent déjà beaucoup d'énergie et occupent – parfois même accablent – assez une large partie de la conscience qu'il en reste finalement peu pour fouiller les motivations à vivre. C'est vrai qu'au cœur du quotidien, la recherche d'un sens à vivre implique du *courage* c'est-à-dire celui de s'arrêter pour réfléchir et voir, malgré la lourdeur du quotidien. En effet, pour trouver un sens au quotidien, à la routine de la vie, il importe de transcender ce quotidien (tout en l'intégrant) pour s'installer en ce lieu intérieur juste là où la personne rencontre en elle l'être vivant qui cherche à se déployer.

> Perdu dans la forêt, le chasseur ne voit que des arbres, des feuilles et de la verdure. Pour se retrouver, il doit grimper à un arbre, un seul, tout en s'assurant de ne pas tomber. Juché au-dessus, au faîte de l'arbre, il peut par-dessus le toit des arbres, identifier le chemin à parcourir, les obstacles à sa marche et les détourner selon ses ressources. À cette condition seulement, à savoir s'élever au-dessus des arbres, il peut

> trouver ou retrouver son chemin. Tant qu'il
> reste au sol, il tourne en rond et peut même
> préparer sa fin.

Or, c'est particulièrement à ces moments de la vie pendant lesquels la routine ennuie et le quotidien étouffe que la personne *doit* se placer au-dessus[17], quelque part, pour voir l'ensemble de sa vie, scruter les perspectives et se donner une direction, un sens à son parcours[18]. Ce n'est qu'après cela, une fois revenue dans le quotidien, que la personne peut ajuster ses perspectives, redistribuer ses ressources, se faire un nouvel itinéraire, et trouver un sens pour continuer à vivre.

La construction d'un sens à vivre est un processus dont la visée consiste à se représenter symboliquement les contenus de l'objectivation de soi réfléchi ; plus directement, c'est placer sa vie dans le contexte d'une histoire significative dont la structure narrative crée de la signification. En d'autres mots, se construire un sens à vivre implique d'abord la capacité de suspendre le flot de l'expérience immédiate, c'est-à-dire de se détacher d'expériences particulières et de mettre un délai à la

---

17. Et souvent malgré tous les bons conseils qu'elle reçoit de rester les deux pieds sur terre et d'être « réaliste » (si au moins ce conseil voulait dire de se réaliser). Prendre de la perspective ou transcender son quotidien ne signifie nullement perdre son réalisme. Bien au contraire, cela signifie une appropriation de la réalité pour la faire sienne et lui donner un sens, c'est le « regard-survolant » de Merleau-Ponty (1945) ou le Je libre de ses « sois » et qui dépasse les limites de la situation présente. (Bureau, 1978).

réponse devant les incessants stimuli de la vie, pour ensuite se représenter symboliquement ces expériences, c'est-à-dire que la personne réfléchit sur son expérience de vivre et la symbolise en rapport avec ce qu'elle sait d'elle, et donc avec son identité.

Se

Chaque personne peut trouver ou créer son sens à vivre – cette raison d'être, de vivre et de paraître ce qu'elle est, ce qu'elle vit. Si ce sens à vivre est vraiment approprié à la personne et à ses ressources, cette personne actualise encore plus ce qu'elle est, et ainsi elle augmente d'autant plus son apport particulier et original à l'humanité ou à la communauté humaine qui l'entoure. Ce n'est cependant pas parce qu'un sens à vivre amène la personne à être davantage ce qu'elle est, et qu'en cela elle apporte un quelque chose d'unique même à l'humanité en général, que la quête d'un sens à vivre ne dérange pas ou ne bouscule pas ou ne

---

18. Cette excursion au-delà du quotidien qui permet de retrouver sa direction diffère de ce qu'il est convenu d'appeler la vision nébuleuse de l'existence, à savoir un état de distance face à la vie et au quotidien qui éloigne la personne de la richesse et de la vitalité de sa concrétude et de sa corporéité. Souvent considérée comme une vision philosophique de l'existence sans problème où rien ne compte puisque tout périt, rien n'importe puisque tout est futile, cette attitude est paradoxalement défendue par certains philosophes qui malgré cette attitude continue à écrire et à publier leurs écrits pour communiquer leurs idées : cela au moins importe ? Ainsi sont les hommes !

trouble pas les relations quotidiennes personne à personne déjà existantes.

Le plus éprouvant dans la quête d'un sens à vivre, c'est le plus souvent que la personne doit s'opposer et se détacher des autres personnes, et résister à tous ceux et à toutes celles qui voudraient bien, pour une raison ou une autre, qu'il en soit autrement[19]. D'une certaine façon, chercher et trouver un sens à vivre impliquent une certaine désidentification : de ses frères humains – eux aussi, souhaitons-leur, à la recherche d'un sens[20] – non seulement de ceux de sa race, de son pays ou de sa culture, mais très souvent aussi de ceux et de celles qui sont aimés et qui nous aiment[21].

Dépasser ses instincts et apprivoiser sa solitude

Être capable de transcender le quotidien pour y découvrir un sens à vivre implique également d'oublier, du moins l'espace d'un temps, ses instincts biologiques et corporels comme d'ailleurs ses désirs plus primitifs et

19. Voir Bureau, J. (1985).
20. Le sens à vivre des autres, peu importe sa qualité, n'est pas le nôtre. Il peut éventuellement devenir le nôtre si et seulement si nous participons directement à sa création. Tout sens à vivre proposé par les autres pour devenir sien, doit obligatoirement être re-interprété et re-créé à travers un acte de réflexion propre et à soi. Ce n'est qu'en se le réappropriant par un retour réflexif sur soi que le sens à vivre venu ou issu d'ailleurs peut devenir sien.
21. Voir R. Bach (1980).

infantiles. Il doit mettre en veilleuse tout cela, dont principalement la satisfaction immédiate de ses besoins ou désirs et la sécurité à tout prix que peuvent offrir la routine et la concrétude d'un quotidien connu et vécu automatiquement. Sortir du quotidien ne peut malheureusement pas se faire dans la facilité douce et heureuse de la réponse à nos tendances naturelles — cela ne se fait qu'au prix de la contradiction d'une certaine façon de nos « instincts ».

Résister aux autres — même à ceux qu'on aime — et dépasser ses instincts restent évidemment des tâches qui risquent fortement d'en décourager plus d'un, et conséquemment, de les priver de l'énergie qui leur serait justement nécessaire pour y parvenir. Et devant la difficulté, il est si facile de laisser au hasard ou à la bonne volonté d'autrui, la tâche de nous octroyer un *sens à vivre* ! Comme nous le savons déjà, cette attente est cependant bien inutile puisque seule la personne peut trouver pour elle-même son propre sens à vivre. La personne arrive à résister aux autres et à dépasser ses instincts si elle accepte la difficulté, et particulièrement celle d'avoir à apprivoiser sa solitude, c'est-à-dire à la dépasser en la libérant des angoisses d'isolement, d'abandon ou de rejet qui lui sont spontanément associées — comme d'ailleurs la crainte de se retrouver face à soi-même[22].

Le quotidien transcendé et l'instinct dépassé, le sens à vivre ne s'ouvre pas de lui-même mais il doit se

------

22. Voir Bureau, J. (1992).

peiner, et c'est encore dans la solitude que tout cela peut, et d'une certaine façon doit, se passer. Particulièrement à notre époque, pourrait-on dire, puisque nous nous tenons à la croisée de tous les relativismes ; il n'y a qu'un seul absolu : celui qu'il n'y a plus aucun absolu. La personne se dit que ceci est aussi bon que cela — que ceci et cela soient des partis politiques, des idéologies de gauche ou de droite, des plats à cuisiner ou des programmes de loisirs. L'étalement des connaissances et leur facilité d'accès par l'éducation et les mass media ont lentement relativisé ce qui antérieurement était absolu. Que l'on songe à l'époque pendant laquelle il n'y avait qu'une seule religion, un seul credo, une seule morale ! Et que tant la conduite que l'imaginaire devaient suivre des normes absolues. Et qu'un seul système politique était valable. Et qu'une seule façon de vivre l'amour et la sexualité était digne et humaine ! Aujourd'hui, ces absolus sont dépassés.

Une quête qui ne peut être qu'intérieure, individuelle, personnelle

Le relativisme est responsable de nombreux gains pour le développement de la personne mais il reste qu'il a entraîné également avec lui de nombreuses difficultés, principalement celle que représente pour chaque personne l'absence de structure extérieure prédéterminée à laquelle se référer ou dans laquelle se réfugier pour plus de sécurité. Le relativisme, c'est faire effectivement face à tout et donc d'une certaine manière à rien d'absolu à l'extérieur, mais c'est surtout faire face à soi et encore plus au choix : quel chemin prendre ? quelle idéologie soutenir ? quelle valeur défendre ? De l'extérieur, il n'y a plus de vérité pour la personne – la vérité se trouve à l'intérieur d'elle. Le relativisme oblige la personne, chaque personne, à prendre conscience de cela sans quoi elle ne peut que se perdre elle-même. Aussi appétissante que soit la présentation extérieure d'une valeur ou d'un sens à vivre, il n'y a que la personne dans sa solitude qui peut régler l'angoissante question du sens de sa propre vie. C'est de l'intérieur d'elle et de sa solitude qu'elle verra émerger son sens à vivre. À l'extérieur, tout est relatif et mouvement, et surtout ce n'est pas elle.

Toute idéologie qui prétend que c'est à la collectivité de fournir aux individus leurs motivations à vivre risque de faire perdre à cette collectivité son propre sens de communauté humaine. Si l'insistance est placée sur le système au mépris ou, tout au moins, au prix de la personne, c'est qui est servi plutôt que la croissance et le développement de la personne. Cet instinct ne peut aller qu'à l'encontre de la personne réelle qui elle en vient alors, graduellement mais sûrement, à perdre toute signification pour le collectif (elle devient insignifiante) si ce n'est qu'en tant qu'ingrédient similaire et non différencié du système.

> À la fin de son adolescence, Denis s'inscrit au Parti avec l'euphorie de découvrir enfin un sens à son existence. Le Parti sera pour lui le guide, l'objectif et la motivation. Pendant de longues années, il s'aligne sur le Parti – changeant ses positions chaque fois

que le Parti les changeait. Son travail, ses relations, l'ordre à mettre dans ses choix lui étaient dictés par l'esprit du Parti. Il y avait même une règle qui prévoyait ce qu'il fallait faire lorsqu'il n'y avait pas de règle. Denis était pourtant intelligent. C'est d'ailleurs probablement pour cela que lentement il a fini par comprendre que tout cela tournait à vide, que le monde autour de lui ne changeait pas malgré sa solidarité au Parti et même qu'il retrouvait de plus en plus le même vide intérieur qui l'habitait et qu'il avait si bien connu à l'adolescence. Bien plus, son vide était maintenant nécessaire pour que le système du Parti continue. Le Parti avait besoin de son vide à remplir. Quelque part, l'idéologie du Parti en avait profité.

Il n'est pas facile de départager le bien des personnes de celui de la communauté, de cerner les frontières de l'une et de l'autre et de trouver ainsi l'équilibre et la distance optimale pour que la communauté fortifie la personne, et la personne, la communauté. Il est pourtant et malgré tout absolument nécessaire d'en être capable[23].

Le groupe, l'esprit de groupe et la solidarité ne doivent pas être ni exister au prix de l'authenticité et de la vérité personnelle. Chercher un sens à vivre à l'extérieur de soi, dans le groupe ou dans la solidarité, c'est une manière de répondre à un besoin de sécurité pour contrer l'angoisse de la solitude fondamentale liée à la condition humaine d'être séparé. Être seul face à la vie, à la sienne, et à son sens reste effectivement suffisamment angoissant pour que spontanément nous soyons portés à chercher quelque chose, n'importe quoi, quelque part ailleurs et n'importe où pour échapper à notre sort. Si le groupe propose d'emblée un échappatoire tout fabriqué, bien averti serait celui qui ne s'y laisserait pas prendre. C'est alors que la recherche d'un sens à vivre dans et par le groupe, l'esprit de groupe ou la solidarité peut devenir l'équivalent d'une tentative de réponse à la nostalgie de la perte du paradis terrestre devant les misères de la vie, ou à la mélancolie par le

---

23. Si nous insistons pour dénoncer certains aspects du collectivisme, ce n'est pas parce que le collectivisme nous semble en soi une mauvaise chose à bannir. Nous verrons d'ailleurs plus loin comment le collectif, le groupe et le sentiment d'appartenance au groupe possèdent des avantages importants. Ce que nous cherchons à dénoncer ici c'est le danger que peut représenter un excès de collectivisme pour le développement de la personne, particulièrement pour chaque individu aux prises avec un sentiment de vide par absence de sens à vivre et pour qui le collectivisme peut représenter un leurre alléchant mais tout de même un leurre. Vivre pour le peuple, la nation, la race, le féminisme, le masculinisme ou le capitalisme – peu importe ce qui est érigé en absolu – c'est inévitablement un leurre qui, malgré ses apparences, ne saurait jamais remplir un vide de sens à vivre personnel chez les uns, et qui ne saurait que contraindre les autres personnes à être ce qu'elles ne sont pas véritablement. Le bonheur ou le malheur des personnes ne dépend pas des qualités du milieu, du social, et la responsabilité individuelle à créer son bonheur n'est pas un faux mythe. Les personnes humaines sont différentes les unes des autres et les embrigader dans la similitude du groupe, du social, risque de les briser.

retour symbiotique dans le ventre de sa mère devant les souffrances de l'individualisation.

Quelle que soit la qualité du groupe, l'esprit de groupe ne peut jamais combler la quête de sens que la personne unique, complexe, polyvalente et originale ressent devant la vie. Lorsque la personne ne peut pas rendre sa vie significative et qu'elle se tourne vers l'esprit de groupe en voyant là l'espoir de trouver une réponse à sa quête, elle risque plutôt de se voir happée par cet esprit de groupe et de retourner sur le plan de la conscience à l'état primitif – état primitif de conscience à l'intérieur duquel la personne, comme individu spécifique et séparé, n'existait pas encore en tant que tel. Elle n'était alors ni Pierre ni Marie mais « INUK » et « UMBRE »[24], c'est-à-dire une personne « morale »[25] plutôt qu'une personne réelle, corporelle et physique.

Le développement de la conscience humaine, sa complexification comme disait Teilhard de Chardin (1955), a permis le passage du groupe à la personne ; plus directement, le passage d'une conscience de groupe symbiotique et primitive à l'émergence lente d'une conscience individuelle et différenciée. De l'appartenance rassurante à la conscience de groupe, la personne s'est vue graduellement devoir assumer le poids de sa propre

---

24. INUK OU UMBRE signifie l'être humain impersonnel – c'est l'homme dans le sens générique.
25. La personne « morale » est une institution ou un groupe qui possède des droits et des devoirs équivalents à ceux d'une personne physique.

conscience, et de la sécurité relative du groupe passer au tragique de l'identification et de l'identité personnelle – avec toutes les conséquences inévitables qui lui seront désormais reliées : détresse et souffrance d'être séparée, coupée des autres ; appartenance et responsabilité face à sa propre destinée, anxiété à propos de sa finitude et de ses limites.

Pour que la personne s'énergise au contact des autres de sa communauté et qu'elle leur fasse profiter de son individualité – sa créativité et son originalité – sans trop les perdre, elle doit fondamentalement trouver une paix avec elle-même à travers l'acceptation profonde et réelle des limites existentielles de sa condition : être séparé, libre mais responsable, limité et mortel. Cela signifie également qu'elle doit d'abord accepter d'être incapable d'expliquer l'existence des autres et encore moins capable de leur donner un sens à vivre. Tout comme d'ailleurs les autres sont incapables de l'expliquer vraiment elle-même et de lui fournir un sens à vivre. La personne ne peut effectivement que participer aux sens à vivre des autres comme la communauté ne peut que participer au sien.

Du courage, beaucoup de courage, face à soi-même et face aux autres

Pour trouver son sens à vivre, la personne doit plonger en elle-même, et cela même au risque de se voir blâmée par les autres de sa communauté. C'est bien tant mieux si la communauté la respecte dans sa solitude nécessaire et dans sa quête de sens mais le contraire est plus fréquent. À chaque époque de son histoire, la collectivité humaine propose souvent (sinon toujours) aux personnes des fac-similés de sens à vivre ; elle les propose de plus si fortement que la personne peut difficilement y échapper, et si malgré tout elle y parvient, la collectivité le plus souvent le lui rappelle par l'isolement ou à la limite l'ostracisme. Les sens à vivre proposés (et souvent d'une certaine manière imposés) varient d'une période à l'autre[26]. Si des personnes divergent ou s'opposent à ces vents d'époques, ces *zeitgeist*, la pression sociale sur elles devient très forte. Tout se passe comme si la collectivité en quelque sorte décide ou décrète et entraîne ses concitoyens à convenir en bloc que tout autre thème ou sens à vivre est sans valeur.

Jung a bien connu la pression exercée par des pairs sur ses idées, particulièrement après sa séparation d'avec Freud. Il a vécu ce que bien des grands hommes vivent : la mise au banc, l'isolement et le rejet parce

---

26. Parmi ces *zeitgeist*, l'humanité a dernièrement entre autres connu l'insistance sur le « retour-à-la-terre », les droits de l'enfant, le contrôle social par la loi et l'ordre, les injustices à réparer face aux Juifs ou aux femmes ou aux noirs, etc. Les zeitgeist touchent ou concernent tous les domaines de l'activité humaine. Par exemple, ils se retrouvent souvent dans les modes thérapeutiques. Toutes ces thérapies « à-la-mode » qui fleurissent pour un temps et qui deviennent le « must » de toute personne raffinée pour finalement disparaître comme elles étaient venues. D'autres prendront bien leur place.

qu'ils osent proposer de nouvelles valeurs ou de nouvelles explications ou encore que leurs découvertes viennent en contradiction avec l'esprit du temps.

> « Il n'y a pas lieu de plaisanter avec l'esprit du temps car il constitue une religion, mieux encore une confession ou un credo dont l'irrationalité ne laisse rien à désirer ; il a en outre la qualité fâcheuse de vouloir passer pour le critère suprême de toute vérité et la prétention de détenir le privilège du bon sens. » (Jung, 1962, p. 37)

Trouver *son* sens à vivre – et quand c'est nécessaire à l'encontre de l'esprit du temps – et risquer de l'exprimer ouvertement à ceux et à celles qui comptent pour nous et qui pourraient en profiter mais qui pourraient aussi s'y opposer, doit donc s'accompagner d'une forte dose de courage, de cette vertu qui n'émerge que dans la peur – celle d'être privé des riches relations interhumaines pourtant si stimulantes au goût de vivre. Là où il n'y a pas de peur, il n'y a pas de courage .

Les relations humaines sont riches et particulièrement stimulantes pour le goût de vivre, mais chaque personne qui veut trouver et affirmer son sens à vivre devra prendre le risque d'en sacrifier quelques-unes[27]. Le sens à vivre réside dans la personne : il est fait d'elle et pour elle, approprié à ce qu'elle est. Les voies d'accès et les repères pour le découvrir se trouvent à l'intérieur de la personne ; il est tout tissé d'elle. C'est un chemin d'autant plus difficile à parcourir qu'il risque – parce que trop lié à l'individualité intrinsèque de la personne – d'entrer en contradiction parfois flagrante avec le *zeitgeist* de l'époque, par exemple celui, plus ou moins le nôtre, qui tire l'individu vers l'extérieur et la reconnaissance par cet extérieur. Il est probablement plus plausible d'espérer recevoir, et dans le contexte actuel des valeurs de recevoir effectivement, l'approbation de la collectivité pour des actions d'éclat que pour l'authenticité et la congruence d'une personne[28].

Parce que le sens à vivre émerge des profondeurs et des racines de la personne il risque – justement à cause de sa profondeur – de ne pas être compris par les autres[29]. Or, en plus de la souffrance liée à l'isolement et parfois au rejet, la personne devra porter celle qui découle de la frustration de ne pas être *comprise* et souvent même par ceux qu'elle aime. La personne n'a toutefois pas vraiment le choix puisque vivre, c'est

---

27. Nous disons bien *quelques-unes* parce que la plupart du temps les relations véritables – c'est-à-dire les personnes avec qui nous entretenons des relations authentiques, privilégiées et profondes – survivent à la quête d'un sens à vivre. Les relations qui sont perdues parce que la personne cherche par son sens à vivre à devenir davantage ce qu'elle est, sont peut-être des relations dont la solidité et l'authenticité sont vacillantes. Les autres – les vraies, sommes-nous portés à dire – résistent, survivent et même peuvent se renforcer. L'attachement pour une autre personne ne saurait que croître si cette personne cherche à devenir plus elle-même ; en fait, c'est d'être elle-même qu'elle est aimée et en étant plus elle-même par son sens à vivre elle ne saurait être qu'aimée davantage, encore plus.

continuer et croître ; croître c'est se séparer, s'individua-
liser, et cela, c'est en quelque sorte perdre ; perdre
l'autre et/ou se perdre pour se reprendre autrement.
C'est parfois à ce prix que le sens à vivre peut apparaî-
tre ou réapparaître.

> À 60 ans, proche de sa retraite, Pierre-Louis
> réalise qu'il s'est toujours senti mal. Il s'in-
> quiète surtout d'étranges pulsions qui le con-
> duisent à fixer les seins des femmes pour se
> les approprier. Il devient alors obsédé par les
> seins. Chez lui, il tente de masser ses propres
> seins pour qu'ils obtiennent du volume
> comme pour remplacer ce qui lui manque et
> se détacher des femmes. Après ces expérien-
> ces, il se sent déçu et déprimé : 60 ans de vie,
> deux échecs de mariage, une angoisse qui
> l'accompagne depuis toujours, un souci exa-
> géré de lui-même : voilà le bilan. Il frôle sou-
> vent le désespoir, et sans cesse il se de-
> mande s'il réussira à se rendre à sa retraite.
>
> Un jour, à son terrain de camping, là où il se
> retire le plus souvent, il contemple un
> magnifique érable, droit et fier dans ses bran-
> ches, qui siffle le vent et affronte le soleil,

---

28. Être soi-même et se vivre comme tel à travers le sens à vivre
n'est peut-être pas toujours – et ne le sera peut-être jamais –
valorisé par la collectivité. C'est pourtant – et c'est là l'essentiel –
valorisant pour la personne qui, elle, se sait posséder de la valeur
parce qu'elle met au monde à travers son sens à vivre quelque
chose d'unique, c'est-à-dire elle-même.
29. Jung, 1962, p. 113.

l'apostrophe Pierre-Louis Après plusieurs appels à l'arbre, il entend à l'intérieur de lui la réponse de l'arbre : Pierre-Louis se sent le cœur éclater, et il s'effondre en pleurs : toutes ses années de vie derrière lui et cela sans racine ; tout ce temps perdu alors qu'il croyait avoir fait son possible. Après de longs moments, après avoir laissé Pierre-Louis pleurer tout son saoul, l'arbre semble continuer : rétorque Pierre-Louis, dit l'érable : « Mes racines, c'est plus important que mes feuilles et mes branches, ce que, en d'autres mots, tu vois de moi et que tu appelles ma beauté. Il y a aussi autre chose, c'est que moi j'ai poussé dans mon érable, dans *moi*. Toi, tu as poussé à côté de toi. Moi, je n'ai pas cherché à pousser dans le peuplier, dans le cèdre, même pas dans l'érable là, celui-là à côté d'où je viens. J'ai poussé en moi – en dedans de moi. » Nouvel effondrement de Pierre-Louis. Il réalise qu'il a passé toute sa vie en dehors de lui, comme se regardant, se mesurant, se blâmant ou se louangeant. Il vécu dans tout le monde – si peu souvent en lui. Il pouvait bien ne pas avoir confiance *en lui*, il n'était pas *en lui*, il était ailleurs. Pierre-Louis pleure encore secoué dans tout son corps – il a tellement de peine d'être passé à côté de lui depuis si longtemps dans sa vie. Ses pleurs toutefois ne sont pas que de la peine, il y a aussi comme un espoir. Il sait maintenant qu'il doit retrouver ses racines, s'il n'est pas trop tard et qu'il doit se reloger en lui ; c'est la seule façon de vraiment vivre. Ces prothèses artificielles qu'il s'est fabriqué telles de longs bras pâles dans lesquels il se vivait et voulait accaparer les seins des femmes et les retenir pour qu'elles ne le quittent pas, il les laissera aller. Il cherchait à se remplir la mort intérieure par le lait vivant des femmes, donneuses de vie. « Tu vois », lui dit l'arbre, « je n'ai pas tout misé sur mes feuilles – d'ailleurs je les perds tous les automnes – et c'est bien correct parce que comment pourrais-je connaître mes nouvelles feuilles du printemps si je ne perdais pas celles de l'automne. Toi tu as tout misé dans ta face, dans tes feuilles, et tu avais tellement peur de la perdre ta face que tu la retenais à deux mains. Qu'est-ce que ça t'a donné ? Aujourd'hui, tu es une vieille face. Ah, tu ne l'as pas perdue. Mais tu es devenu rien qu'une face – une face sur deux pieds – c'est pas bien solide ça ! Laisse-la aller ta face, t'en trouveras bien une autre. Si jamais elle te quitte, eh bien tu trouveras peut-être ton visage, ce qui serait beaucoup mieux. » Pierre-Louis est à nouveau secoué. Que de temps, que de vie perdus à éviter de perdre la face, à sauver la face. Il s'est déraciné puis il a poussé à côté de lui avec le résultat qu'il ne lui reste qu'une face, vieille, fatiguée et ridée – une face sans corps qui se promène toute figée dans la vie. Après toute cette douleur, Pierre-Louis sent que l'espoir reprend – il ressent son nouveau sens à vivre : *vivre dans ses racines, dans sa base et laisser les autres vivre dans leurs racines – se dégager de la préoccupation de sa face et retrouver le chemin vers lui-même.* Sa vie commença à changer. Il éprouvait bien quelquefois un retour à son ancien style, mais son sens à vivre nouveau prenait de plus en plus d'importance. Avec les femmes, il pouvait les admirer, les trouver si belles et si pleines de vie mais sans les retenir. Il goûtait leur spectacle puis s'en allait. Il ne cherchait plus à les accaparer. Même sa démarche changeait : il ne perdait plus pied en marchant ; il se sentait solide et attaché à la terre. Vivre pour lui prenait du sens – il serait comme son arbre – le temps seulement qu'il durerait et c'était bien correct. La fin de sa vie fut un rayonnement de vitalité qui se dégageait de lui et que les autres, même les femmes, pouvaient maintenant contempler. Il était devenu beau, fier et majestueux et il fabriquait autour de lui de la beauté.

Accueillir plutôt que de chercher obstinément : laisser émerger

D'une certaine façon, il ne s'agit pas de se donner un sens à vivre comme on se donne un nom, étiqueté sur nous de l'extérieur par une convention. Si un sens à vivre ne peut pas se coller à nous de l'extérieur et alors être imposé par les autres, il ne peut pas non plus, même s'il émerge de nous-mêmes, se développer qu'à partir d'une seule et unique facette comme par exemple l'intelligence ou l'émotion. Ainsi plutôt que de se donner un sens à vivre, il est plus exact de parler de *l'approche* d'un sens à vivre – approche continuelle d'ailleurs, et donc jamais achevée puisque la vie et le vivant sont mouvement et changement. Celui qui – à partir du moment présent, de ses idées et de ses réflexions actuelles – donne ou se donne un sens à vivre aura fort probablement à s'en donner un autre ultérieurement parce qu'un sens à vivre ne dure finalement que le temps pendant lequel le vivant en lui restera semblable. Si le vivant et la vitalité à l'intérieur de la personne changent, son sens à vivre changera également. Le sens à vivre est au service du vivant dont le propre est de se continuer à travers le mouvement et le changement[30].

L'approche d'un sens à vivre ne repose pas sur une technique ni sur des exercices de réflexion. Il s'agit plutôt d'un état cognitivo-émotif, c'est-à-dire d'une forme d'état intérieur dynamique et en mouvement comme l'est la vie elle-même – cela peut aussi se nommer *prendre sa vie au sérieux*. Marcel Légaut, mathématicien et philosophe, écrit :

> « Prendre sa vie au sérieux, c'est dépasser une façon de vivre instinctive, jouissant autant qu'on peut de ce qui se présente, où l'on se laisse entraîner au fil des jours en quête de passe-temps. Prendre sa vie au sérieux, c'est rompre avec la passivité et la

---

30. Ces changements du sens à vivre s'appliquent surtout à ses aspects conscients. Dans ses racines, le sens à vivre d'une personne conserve une constance et une continuité comme nous l'avons expliqué plus haut.

> facilité… Prendre sa vie au sérieux, c'est
> prendre en charge son avenir. » Légaut
> (1980), p. 21

Le sens à vivre tout comme le goût de vivre d'ailleurs bouge et se meut. La personne qui veut profiter de son dynamisme doit à tout prix éviter de l'enfermer dans un seul domaine ou sur une seule facette. Elle ne doit cependant pas non plus se river ou s'accrocher à son sens à vivre comme si elle dépendait entièrement de lui. Elle doit plutôt bouger et se laisser mouvoir par le vivant, en elle et autour d'elle. Elle ne doit surtout pas chercher à éviter la souffrance ou la douleur de chercher si celle-ci se présente.

La recherche d'un sens à vivre n'implique pas que la personne se cabre la conscience avec opiniâtreté pour *découvrir* son sens à vivre – ni qu'elle adopte comme état la vision nébuleuse de l'existence.

> Toute son adolescence, France se préparait à la rencontre de l'amour : elle ne vivait que pour cette rencontre. Pourtant à 35 ans, elle n'avait connu qu'échecs et rejets dans ses relations avec les hommes. Elle se lança alors dans l'action féministe croyant y trouver enfin un sens : là aussi ce fut la déception et les petits jeux malhonnêtes ! Elle revient à la religion de ses parents ; c'était aussi fade qu'au temps de son enfance. Elle partit aux Indes pour vivre près d'un gourou. Elle revint au pays plus pauvre et défaite. La recherche d'aucun amour,

d'aucune idéologie, d'aucune religion ne pouvait la sauver de son désespoir de vivre. Elle décida de vivre simplement le temps présent avec le plus de sérénité possible en profitant de tous les petits plaisirs de la vie : lentement, un sens à vivre naquit, celui de vivre avec satisfaction et délectation la vie.

La recherche d'un sens à vivre se fait d'une façon oblique, plus accueillante qu'active. Souvent on se représente la recherche de quelque chose comme un effort actif et concentré alors que plusieurs – peut-être la majorité – des trouvailles se font parce que justement on cesse de concentrer son énergie sur la recherche et qu'on laisse aller tout l'organisme (corps, émotivité, pensée, etc.) à son rythme pour qu'il *trouve* juste au moment où il est prêt à l'accueillir, ce que la personne cherchait auparavant obstinément par un effort réflexif aussi contraignant qu'inefficace. Le sens à vivre émerge de toute la personne, de tout son organisme. Il importe donc de lui laisser la place dont il a besoin, comme un espace particulier, pour qu'émerge en lui ce qui vient de lui, de sa personne entière – *son* sens à vivre.

Si le sens à vivre d'une personne n'émerge ni de la collectivité comme telle puisqu'alors il flotte sur la personne sans vraiment la rejoindre, ni du seul travail logique de déduction de prémisses, d'une conclusion à vivre, d'où peut-il vraiment provenir ? Où la personne peut-elle découvrir son sens à vivre ? Dans quel espace ? Dans quelle direction ? Une longue tradition humaniste respectueuse de la personne offre une direction : le sens à vivre loge à l'intérieur de chaque personne, dans son espace intérieur.

Ainsi, la personne à la recherche de son sens à vivre doit plonger en elle-même pour contacter les caractéristiques essentielles de son humanité – celles de sa finitude et de l'inéluctabilité de sa mort[31], de la limite de ses ressources, de sa liberté et de ses choix, de ses responsabilités et de ses capacités d'agir et de sa solitude fondamentale. C'est en amitié avec elle-même, consciente d'être ce qu'elle est avec et malgré ses limites existentielles que la personne peut d'abord parvenir et parvient effectivement à dégager sa forme ou sa manière à elle, particulière et personnelle de vivre et de traiter avec ses limites, et surtout avec l'anxiété tout aussi existentielle, donc inévitable, qui en découle ; ensuite, elle travaille pour accorder à sa forme particulière la place qui lui convient dans sa vie ; finalement, elle mobilise une bonne partie de son énergie pour la mettre-au-monde et réaliser cette forme particulière, unique et originale d'être, c'est-à-dire d'être ce qu'elle est, avec et malgré ses limites. Plus concrètement, dans sa quête de sens, la personne a tout avantage à commencer par se poser les bonnes questions – celles qui sont simples mais si pleines de sens : qu'est-ce qui influence (a influencé ou influencera) et qui affecte (a affecté ou affectera) d'une façon importante ma vie ? Quelle personne ? Quelle tâche ? Quelle facette de l'existence ? À partir de ces questions, la personne se trouve à amorcer tout un mouvement réflexif qui l'amène graduellement à départager le constant de l'éphémère, le développemental du névrotique, pour finalement extraire de tout cela un sens à vivre.

> Paul fouille les racines de son existence. Qu'est-ce qui importe pour lui ? Qu'est-ce qu'il veut de la vie ? Qu'est-ce qui vaut la peine pour lui ? Confusément d'abord puis se clarifiant lentement de plus en plus, deux thèmes surgissent : la créativité et la paternité. Il éprouve un grand soulagement – il doit être dans la bonne direction. Il se sent bien et correct avec ces deux thèmes. Il aime agir les deux – il s'aime lorsqu'il les applique à sa conduite et qu'ils se réalisent

---

31. Approcher pas à pas du sens de la vie et ainsi découvrir peu à peu ce pour quoi on est là – ce pourquoi, nous, une personne humaine avons à vivre –nous amène paradoxalement à toucher au sens de la mort, notre mort. Le cheminement qui conduit au sens de la vie est effectivement un processus lent qui se poursuit pendant toute une vie, et qui la plupart du temps advient pleinement juste au moment où nous sommes près et prêts à approcher le sens et la réalité de notre mort. Il en est ainsi : trouver un sens à sa vie c'est aussi prendre conscience de sa mort ; prendre conscience de sa mort donne des frontières indélébiles à la vie – la vie qui devient désormais une réalité sérieuse parce que limitée dans un espace-temps jusqu'à nouvel ordre indéterminé quant à sa durée effective, réelle. Conscientiser sa vie implique donc de conscientiser sa mort. L'expérience personnelle de sa mort n'est pas qu'une connaissance objective qu'à toute personne de mourir un jour. Il y a plus – il y a comme une conscience qu'aussitôt qu'on vient à la vie, on est assez vieux pour mourir. Cette expérience de sa mort suscite aussi le sérieux de sa vie puisque la conscience de la finitude est continuellement présente durant la vie. Voir Bureau, J. (1986).

plus : plus père et plus créateur par une série de petits gestes quotidiens. Bien plus, il ressent tout le bien-être de se présenter aux autres avec ses enfants et de paraître ce qu'il est dans ses écrits. Il comprend que dans ces deux valeurs se trouve sa propre réponse à sa finitude et à son état de sé-paré, à sa responsabilité de choisir et d'agir, et à sa capacité.

Inévitables, les périodes de crise et de remise en question

La recherche d'un sens à sa propre vie n'est pas que la tâche des désœuvrés ou des girouettes : toute personne à une époque ou à une autre de sa vie – et souvent plus d'une fois au cours de son existence – doit reconsacrer ses énergies à cette tâche fondamentale. Cela arrive périodiquement et la plupart du temps lorsque la personne ressent les choses qui la concernent, elle et sa vie, comme éparpillées, sans lien les unes avec les autres, et lorsque son identité est saisie par un sentiment vague mais persistant qu'elle ne sait plus trop bien qui elle est et ce qu'elle veut. Il y a dans cet état particulier un indice très clair que le sens à vivre anté-rieur de cette personne s'effrite, et que pour retrouver son bien-être elle devra se remettre à la recherche d'un nouveau sens à vivre – nouveau et intégrateur qui rallie et relie encore une fois mais sous une forme différente ses ressources et ses pouvoirs.

La remise en question du sens à vivre antérieur et la crise qui s'ensuit et qui mène à la quête d'un nouveau sens à vivre n'échappent donc pas à personne, et c'est vrai même pour celles dont la qualité reconnue ou le génie nous porte à croire qu'elles savaient de toute éternité ce qu'elles avaient à vivre. C'est par exemple le cas pour le grand psychologue William James. Père de la psychologie américaine, ce grand William James s'est effectivement vu au mi-temps de sa vie confronté à l'obligation de replacer son sens à vivre, de se retrouver et de se de réengager. Il écrit :

> « J'irai un peu plus loin avec ma volonté, non seulement agir avec elle, mais croire aussi ; croire dans ma réalité individuelle et mon pouvoir créateur. Ma croyance, bien sûr, ne peut pas être optimiste – mais je veux poser ma vie (la vraie, la bonne) dans la résistance auto-gouvernée de l'ego au monde. Ma vie sera construite sur le faire, la souffrance et la création. »[32]

C'est à la suite de cette période de noirceur que James devait apporter à l'humanité ses travaux les plus brillants.

Malgré nos craintes, il faut accueillir nos périodes de noirceur, d'ébranlement de toute la structure de notre existence – elles sont les signes qu'un changement se

---

32. Traduction par l'auteur à partir de William James cité par Erickson, H.E. (1968), p. 154.

trame et qu'au bout, de l'autre côté de l'ancienne façon d'être, il y a l'espoir d'un devenir.[33]

La personne qui cherche et trouve un sens à vivre accepte le regard vers l'intérieur, le risque de changer et la souffrance et la noirceur du passage. Accepter tout cela, installe la personne sur la bonne voie – celle de la découverte. Cette personne peut-elle cependant s'assurer que sa découverte sera vraiment un sens à vivre ?

Louise cherche le bonheur dans toutes ses entreprises : un mariage pour se sortir de son ennui, des enfants pour se sentir utile à quelque chose, des études qui ne finissent plus pour être quelqu'un. Pourtant, elle trouve sa vie monotone et elle n'est pas heureuse. Aucun de ses projets (mariage, enfants, études) ne réussit à la soulever à long terme, à l'engager et à lui donner avec constance de la vitalité. Serait-ce qu'elle ne s'est pas encore trouvée ? Qu'elle n'a pas encore vraiment découvert un véritable sens à vivre.

L'expérience et le symbole

Le sens à vivre réside implicitement formé au « cœur » de chaque personne. Comment s'ouvre-t-il ? Il devient explicite et clair par le contact qu'établit la personne avec elle-même, particulièrement avec les données non formées de son intérieur (en dessous de ses émotions, de son imaginaire, de ses réflexions, etc.), en somme au niveau de son expérience.[34] De ce contact

---

33. Richard Bach (1978), p. 151.

avec l'intérieur – c'est-à-dire de l'expérience sentie ou éprouvée – à travers le symbole utilisé (le mot, l'image, le concept), plus précisément par l'interaction entre l'expérience et le symbole, naît le sens. La personne sait alors profondément que ce symbole est approprié – qu'il fait du sens. Elle ressent le sens, et alors, toute une série de sous-thèmes et d'applications à sa vie concrète se déploient.

Pour que le sens à vivre soit ressenti comme vrai et approprié, il faut également que la personne – lorsqu'elle contacte son sens à vivre – éprouve un sentiment de détente et de relaxation dans l'ensemble de son organisme. Et alors, le plus souvent, la volonté cesse de se cabrer, le corps perd sa tension, l'intelligence se calme et l'imaginaire cesse sa ronde folle.

Toucher au sens de son existence, du « pourquoi vivre », et pointer juste sur ce que nous sommes et sur ce que nous voulons devenir ne peut pas être, répétons-le, qu'une tâche intellectuelle – tout l'organisme y participe, particulièrement nos racines primitives, biologiques et corporelles. En d'autres mots, c'est ce que Jung appelle le saurien en nous.

---

34. *Expérience* dans le sens d'un flot continu de sentis implicites, corporels et non nommés qui accompagnent et sous-tendent tout ce qu'est une personne. L'expérience est partout, sous toute action, sous toute émotion, sous toute pensée. (Voir Gendlin, 1962 ; Bureau, 1978).

À moins que la personne s'amuse à la surface de ses mots, à leur brillance comme dans un exercice purement littéraire ou à la texture de ses concepts, lorsqu'elle rejoint son sens à vivre, elle est secouée tout entière et après ce choc, la détente suit : elle sait qu'elle sait.

> Depuis que Louise fouille sa vie à la recherche d'une nouvelle direction à suivre, elle passe de longs moments à réfléchir, à méditer sur elle-même et à écrire ce qu'elle ressent. Tout cela l'aide bien, mais rien de solide ou de dense n'apparaît. Elle ne se décourage toutefois pas. Elle continue, et à tous les jours, elle s'accorde du temps pour ce travail sur elle-même et particulièrement pour comprendre ses amours malheureuses. Analyser les pourquoi, les comment et les circonstances de ses amours, lui apprennent bien des choses sur elle-même, mais pourtant elle n'arrive pas à défaire cette tristesse fondamentale qui ne cesse de l'accompagner. Un jour, en observant le travail répétitif d'une hirondelle qui colligeait des brindilles de paille pour fabriquer son nid et qui, inlassablement, prenait son envol et revenait à nouveau fouiller les herbes et transporter des brindilles, Louise se dit : « Elle est bien courageuse cette hirondelle de construire toute seule son nid ». Puis, tout d'un coup, comme sur-prise (prise et tirée vers le haut), elle ressent sa découverte : « Ah[35] ! C'est bien ça mon affaire — toute ma vie, j'ai cherché à ne pas être seule

pour construire mon nid ! Toutes ces amours pour me garantir de ne pas être seule pour construire mon nid et pour vivre ma vie. Et pourtant je suis *seule* pour vivre. Je demandais à ces amours ce qu'elles ne pouvaient pas me donner, c'est-à-dire de me remplacer pour vivre. Tout comme cette hirondelle, je construirai seule, dans l'effort et la constance, mon nid dans *ma* vie ». Dorénavant, elle cherchera à découvrir toutes les richesses de sa solitude comme tout le bien-être de se donner la vie à elle-même. Elle a ressenti toute une détente et une sérénité s'emparer d'elle – elle s'abandonnait à sa découverte, et sa tristesse languissante n'existait plus. Puis, lentement elle a senti monter en elle le goût de vivre : faire l'amour, se faire plaisir et prendre du plaisir.

Toute expérience vitale peut en elle-même servir de tremplin pour découvrir sa vérité et son sens à vivre. C'est avant tout par sa qualité émotive qu'un sens à vivre authentique se distingue et se reconnaît. C'est le sentiment de bien-être et de détente que la personne

---

35. L'expression du « Ah ! », c'est l'expérience de la découverte, de la trouvaille, de ce que l'on cherchait avec tant d'intensité – l'« eurêka » moderne (voir May, 1958). D'autres expressions aussi synthétisent des mouvements intérieurs importants. Par exemple, l'expression du « Bon ! » : l'expérience de l'étape, du tournant, du virement intérieur – celui qui fait sentir que l'on passe à autre chose ; le « Ah ben maudit » : l'expérience de la fin de quelque chose et d'une nouvelle direction plus affirmative.

éprouve en contactant son sens à vivre qui en indique la qualité et l'authenticité.

> « Il ne s'agit pas d'enseigner… une vérité (on n'atteint ainsi que la tête, l'être pensant), c'est (la personne) elle-même, au contraire, qui doit, en se développant, se hisser à cette vérité ; ce qui atteint le cœur, émeut l'être entier et jouit d'une toute autre efficacité ». (Jung, 1962, p. 253)

Le *sens à vivre* bien enraciné dans la personne et bien pointé sur la *vie* suscite donc en la personne un sentiment de bien-être. Il est bon à ressentir ce *sens* – il est satisfaisant (ou satisétant)[36]. Ce sentiment de bien-être (être bien et plein) résulte de ce que le sens à vivre utilise ou permet que la personne utilise toutes ses ressources : son corps, son émotif, son cognitif et son intelligence, sa mémoire, son imagination et sa fantaisie. Lorsqu'une personne ressent cette pleine utilisation d'elle-même et qu'elle expérimente combien il est bon et utile d'être ainsi (de corps, de cœur et d'esprit) au service de son sens à vivre, elle déborde de satisfaction et de bien-être – de satisfaction et de bien-être parce que – et en autant que – elle réalise que ce corps, ce cœur et cet esprit sont d'elle, lui appartiennent, et qu'en cela son sens à vivre s'actualise, se traduit dans la réalité, dans la parole et dans la conduite. Son sens à vivre lui appartient. C'est elle qui réalise – met dans la réalité

---

36. Satisétant – à savoir que tout l'être de la personne en est habité. Voir Bureau, J. (1979).

– son sens à vivre. Elle le sait et elle sait alors que son sens à vivre lui est approprié et qu'il lui est adapté, à elle mais aussi au milieu et aux autres.

À chaque fois qu'une personne réalise qu'elle favorise la vie, qu'elle permet que la vie continue encore plus, elle ressent une profonde satisfaction. C'est une satisfaction qui origine de ses viscères et de son système limbique pour s'irradier partout en elle : elle est vivante et contente de l'être, et surtout de voir qu'à sa façon, elle participe à la vie. Le sens à vivre baigne dans l'émotif et l'affectif, et le rejoindre émeut et transporte la personne.

L'authenticité d'un sens à vivre se reconnaît finalement à son extensibilité. Un sens à vivre n'est jamais monocorde – il n'apparaît jamais que sur une seule facette à la fois. Dès qu'il émerge à l'intérieur de la personne, son effet se fait ressentir dans tout ce qu'elle est. L'émergence d'un sens à vivre irradie toute la personne et l'aide ainsi à harmoniser et à intégrer tous ses paradoxes ; son intérieur et son extérieur ; son émotif et son rationnel ; sa contemplation et son action ; ses anges et ses démons... Ainsi, s'il n'y a qu'une seule idée ou qu'un seul thème et qu'elle ou il obsède la personne, il y a davantage de risque que ce soit une idéologie et son absolutisme qui soient en train de naître chez cette personne plutôt qu'un véritable sens à vivre. Une idéologie activée par un archétype sert rarement l'individu puisqu'elle existe le plus souvent davantage pour le bien de la collectivité. Face au thème et à l'idée, il importe de bien les sentir en nous – surtout dans leurs aspects exigeants et absolus liés à notre complexité d'humain – pour ensuite s'en détacher lentement avec un sourire intérieur celui de la satisfaction de les avoir cernés et identifiés. Il y a un tao de l'existence[37] qui suit la naissance d'un sens à vivre.

Le besoin de résistance, ou la lutte, la bataille et le combat

Pour qu'un vrai sens à vivre émerge de la personne, et qu'alors il puisse être source de goût de vivre, il faut effectivement qu'il se développe et s'aménage à partir d'une résistance. Les résistances sont multiples et variables quant à leur forme et à leur manifestation mais fondamentalement elles renvoient toutes au combat essentiel que tout vivant doit mener, c'est-à-dire un combat contre tout ce qui n'est pas être et vie – être vivant : le désespoir, le non-être et ultimement la mort. De tout ce qui s'approche de près ou de loin du non-être et de la mort, la résistance naît et de son combat l'énergie suffisante à l'émergence du sens à vivre. Par la résistance, le sens à vivre s'aiguillonne et s'énergise parce qu'il ne coule plus ou ne glisse plus sur le réel, ou à l'intérieur de la personne. Mais il s'investit dans le réel et dans la personne – une véritable synergie alors s'installe entre la réalité et le sens à vivre de la personne. La résistance, le combat, la lutte, le dialogue et même la conversation

---

37. Cahen dans Jung (1962), p. 306.

impliquent l'échange dans la résistance et, c'est de là que le sens émerge.

Tout habité par la mort prochaine de son frère qui est atteint de cancer généralisé, Paul cherche par tous les moyens à prolonger la vie de celui-ci. Il consulte à droite et à gauche. Il demande de nouveaux examens. Il tente de stimuler son frère à vivre. Il lui propose des étapes, un congé prochain, une visite ici. Il encourage sa famille et ses propres frères à le visiter à l'hôpital. Il se bat avec une énergie du désespoir pour arrêter la mort, même contre la volonté de sa famille proche qui semble, selon lui, l'avoir acceptée trop vite. Puis là, à bout de souffle, il n'y a plus rien à faire. Paul épuisé regarde son frère décharné et fatigué de vivre et il pleure – il a perdu le combat contre la mort, la mort inexorable de celui qu'il aime. Puis son frère croise son regard et lui dit : . Paul ressent une grande détente de tout son être : la saison des luttes est terminée et il relâche toute l'énergie pointée contre la mort, se dit-il. Puis là, de cette détente monte lentement en lui le thème de la tendresse – une immense vague de tendresse – tendresse pour son frère, sa femme et ses enfants qui, eux, ont à continuer. Il doit les assurer tous de son amour. Paul est en paix. Il est à nouveau tourné vers l'avenir mais d'une façon différente – plus sereine, et tout décidé à faire de la tendresse pour sa famille un de ses sens à vivre. Il sait profondément qu'il avait besoin de se battre avec la mort, même si aujourd'hui cela lui semble avoir été des efforts inutiles. Il avait à se battre pour qu'émerge son goût d'échanger la tendresse. Avant sa lutte, les paroles de son frère sur la soumission ne l'aurait pas atteint aussi profondément. Elles n'auraient pénétré en lui que comme un glaive qui coupe les amarres et laisse à la dérive – à l'abandon. Aujourd'hui, après le combat, ces paroles ont semé du sens. Il est un peu plus sage de ce combat et de cette soumission – et les choses de sa vie prennent un nouveau visage : celui de la tendresse, et de sa force.

Dans le cas de Paul, le sens à vivre nouveau réside dans son histoire personnelle – et c'est souvent là qu'on trouve – mais l'histoire collective peut aussi parfois jouer ce rôle et avoir le même effet. Ainsi, le retour aux combats et aux beautés anciennes – comme aux valeurs anciennes, aux formes anciennes de penser, de fabriquer la beauté, de comprendre la vie et les humains – ne doit pas être négligé ou refusé. Le bagage de l'humanité est tellement riche qu'il serait bien ridicule de ne pas l'utiliser – de ne pas utiliser toute la sagesse et la compréhension que l'humanité a accumulées tout au long de son histoire. Ce retour et ce respect pour le passé élargissent la personne ou tout au moins l'empêchent de recommencer à nouveau les erreurs du passé et les catastrophes qui ont suivi[38].

Pour certains, les cathédrales construites au Moyen Âge sont des monuments somme toute inutiles, futiles, et ce, sans compter tous les problèmes reliés à leur fonctionnalité (les chauffer, l'espace qu'elles occupent, etc.). L'homme moderne et technique peut bien sûr regarder d'un œil réprobateur ses ancêtres qui « avaient si peu de sens pratique pour construire de tels monuments » ; mais pourtant, ces bâtisseurs de cathédrales savaient bien eux, le pourquoi et le sens de telles constructions. Et. combien de générations ont vécu et donné un sens à leurs efforts ou à leurs travaux justement à cause du souffle et de l'élan que leur procuraient ces œuvres apparemment inutiles. C'est la même chose aujourd'hui pour tout ce qu'on pourrait dénoncer comme ou parce que « inutile » : la conquête de l'espace, les voyages interplanétaires, les monuments aux morts... Et pourtant, chacun sait combien nos enfants rêvent de ces voyages et en imagination s'y préparent – rêves qui finalement éveillent en eux le goût de connaître et de découvrir ; combien de techniciens œuvrent à réaliser cette conquête – leur vie et celle de leur famille sont habitées, motivées et énergisées par ces horizons nouveaux.

La beauté, l'accomplissement, l'ordre et surtout la « nouvelle » beauté et les « nouveaux » accomplissements sont ce qui font vivre la personne – leur utilité est

---

38. « Those who don't know history are doomed to repeat it ». La paternité de cette phrase célèbre remonte soit à Santayana (1863-1952), soit à lord Byron (1788-1824).

d'un autre ordre que le concret et le pratique mais n'en nourrit pas moins l'humanité. À preuve, après coup, qui voudrait effacer de sa mémoire et se priver de l'émotion unique ressentie par l'humanité entière lorsque le premier homme mit le pied pour la première fois sur la lune ? La question qui reste dorénavant à l'humanité serait plutôt de savoir s'il y aura assez d'inventivité en elle pour continuer à stimuler la vie et le goût de vivre par de nouvelles découvertes, harmonies et beautés – pour faire naître, encore, de nouveaux sens à vivre ?

La personne est aussi contemporaine et particulièrement pointée sur l'avenir – ses sens à vivre s'inscrivent dans la même perspective, c'est-à-dire qu'ils sont eux aussi tout autant ancrés dans le présent que pointés vers l'avenir. Passé et avenir sont reliés mais sur un mode inversement proportionnel : plus l'attention est portée sur le passé moins elle l'est sur l'avenir. Ainsi, l'attitude que nous tenons face au passé détermine l'avenir que nous nous donnons. Par exemple, le vieillard qui ne fait que ruminer son passé est souvent bloqué dans son avenir, dans ce qui l'attend – il reste trop centré sur sa propre continuité qui achève et alors il ne peut presque plus ou pas se marier avec l'avenir, son avenir, celui des siens et celui des autres en général.

Notre passé personnel tout comme celui de l'humanité est plein de richesses et de beautés qui sont elles-mêmes pleines de stimulants et de sens à vivre. La personne a besoin de sentir et de s'appuyer sur son passé autant dans ses réalités que dans ses possibilités, mais pour son développement et son bien-être de vivre, elle ne se rendrait aucunement service si elle s'y coinçait en refusant le présent et l'avenir. La personne s'élargit et se complexifie sans cesse[39]. Elle s'élargit en conscientisant son passé et celui de son espèce – elle puise et se ressource dans son passé en prenant dans cette direction toute l'accumulation possible. Malgré cela, elle doit en plus se marier avec les sens à vivre de son présent et de son avenir parce que c'est avant tout en eux que résident sa vie et son goût de vivre.

Pour trouver un sens à vivre, plusieurs choses sont donc nécessaires : l'intégration du passé au présent et à l'avenir, la réintégration de la technologie aux caractéristiques fondamentales de la vie en nous et autour de nous, le dépassement de la réponse aux besoins primaires pour être propulsé vers la recherche de réponses à des besoins supérieurs, l'aménagement viable des caractéristiques existentielles : liberté, séparé, limité, finitude ; tout cela est nécessaire, mais tout cela ne le sera jamais autant que d'accepter et d'accueillir la lutte et le combat en nous – la compréhension à elle seule ne saurait suffire.

Comme toute œuvre humaine, le sens à vivre naît de et dans la résistance, et même souvent dans l'opposition. Le sens à vivre implique un certain combat avec le primitif en nous – combat qui, d'une certaine façon et

---

39. La complexification de la conscience selon Teilhard de Chardin (1955).

la plupart du temps, doit être sans cesse repris et refait parce que la bataille n'est jamais totalement gagnée. Cet effort vaut cependant grandement sa peine car c'est de lui qu'émerge le sens à vivre qui plus que tout autre chose suscite le goût et le zeste de vivre.

Le sens à vivre, lorsqu'il se loge dans le cœur et dans la tête d'une personne, peut transformer sa vie, changer ses habitudes de vie destructrices, éveiller sa solidarité et surtout donner du goût à sa vie – même si la vie, elle, reste quotidienne, donc le plus souvent concrète et répétée.

CHAPITRE 9

Le contrat avec la vie

Le contrat avec la vie est une puissante source de goût de vivre. C'est un contrat que la personne établit avec la vie : elle fait et réalise la vie, et sa vie, plutôt que de l'attendre de l'extérieur d'elle-même, d'attendre que la vie lui soit donnée, qu'elle lui arrive. Toute personne, sur chaque aspect de son existence et tout au long de sa vie, négocie ce contrat particulier dont la clause ultime consiste à faire la vie. Ce contrat repose sur l'obligation fondamentale d'agir, c'est-à-dire sur la capacité innée chez toute personne de faire, de réaliser et somme toute, de mettre-au-monde. Or l'agir fait vivre. Il fait vivre parce que la personne lorsqu'elle est créatrice de sa vie peut la continuer à sa guise et ce dans n'importe quels domaines qu'elle choisit de continuer. Si elle crée sa vie plutôt que de l'attendre d'ailleurs, alors elle assure sa continuité – elle la crée aussi ; cela suscite le goût de vivre. Être capable de vivre donne le goût de vivre.

FAIRE ET AGIR POUR ÊTRE

Faire sa vie et se donner de la vie ! Quelles belles expressions ! Mais en fait, pourquoi ce contrat avec la vie est-il source de goût de vivre ? En d'autres mots, pourquoi agir et faire suscitent-ils la vie et ainsi le goût pour elle ? Faire et agir créent de la vie parce qu'ainsi le mouvement du vivant conscient, la personne, continue. Le vivant pour demeurer vivant doit se mouvoir sinon il meurt – il perd la vie. Or, c'est l'agir qui permet au vivant son mouvement. L'action fabrique du mouvement et le mouvement, de la vie et de la vitalité ; la vitalité fait qu'on se sent vivant et se sentant vivant, on a le goût de vivre. L'agir ouvre donc la voie qui transporte en elle-même du goût de vivre. L'engagement de faire sa vie est donc source de vitalité et plus... Plus la personne réalise par l'action sa vie, plus son goût de vivre fleurit.

Pour continuer à être vivante, la personne est condamnée à être agissante. Entre l'inertie et l'action, elle n'a pas le choix : elle doit agir pour continuer. Il en est de sa « nature » même que d'agir. Pour assurer sa continuité, l'essence de vivre, sa condition l'oblige à faire, à agir, à construire sa propre vie. Voilà sa condition : agir pour être ; la meilleure manière de faire et d'agir, c'est d'être ; d'être, c'est d'agir. Être et agir. Toujours.

Nous sommes construits pour agir. Notre capacité d'agir n'est pas une simple possibilité parmi tant d'autres – elle caractérise le vivant conscient, la personne humaine. Pourtant quels que soient nos efforts, notre courage et notre détermination, nous n'arrivons jamais à complètement agir, c'est-à-dire à agir tout le potentiel d'action qui sommeille en nous. Il en reste toujours une partie que nous n'actualisons pas. Même parmi ce que nous parvenons à agir, une distance existe et persiste entre ce que, effectivement, nous portons à l'existence et ce qui, idéalement, pourrait être actualisé. Cette distance inévitable entre l'agir idéal et l'agir réel varie selon chacun mais tous nous sommes responsables de ce que nous choisissons d'agir. Nous devons répondre de nos choix.

> Plus Stéphane avance dans la vie, plus les possibilités qui s'offrent à lui diminuent. À l'adolescence, il avait le choix entre plusieurs carrières ; aujourd'hui, à 40 ans, il est avocat, et ce n'est plus possible d'être médecin. A-t-il vraiment choisi d'être avocat ou est-ce le jeu des circonstances ? Quoi qu'il en soit, il est responsable d'avoir laissé jouer ces circonstances sur lui. Il ne peut pas en sortir : il est responsable d'être avocat et il doit répondre de ne pas être médecin – avec tous les avantages que cela aurait pu lui apporter, à lui-même comme à la collectivité.

Notre capacité d'agir n'est pas une qualité parmi d'autres : elle est une caractéristique essentielle du vivant conscient. Ne pas actualiser cette capacité soulève une anxiété et une culpabilité existentielles liées au fait de ne pas s'utiliser, d'enfouir une de nos ressources, de laisser en friche une de nos capacités.

Souvenons-nous, la vie est mouvement et le propre du vivant est de se mouvoir. Son goût de vivre est donc un goût pour le mouvement ; c'est l'action qui crée le mouvement – l'action est créatrice du mouvement. Imaginons pour un instant une autoroute[40] avec ses multiples entrées et sorties. Pour que le flot de la circulation ne soit pas bloqué, les sorties doivent être aussi actives que les entrées. Les sorties ne doivent pas être fermées sinon le mouvement bloque et la densité sur l'autoroute augmente, et ce au point tel que la circulation fige et elle peut même s'immobiliser complètement. Il en est ainsi de la personne : par ses actions qui tiennent lieu de sorties, elle permet la circulation et le renouvellement de la vie intérieure. L'action fait partie d'une chaîne séquentielle de données spécifiques à l'être humain qui le rend processus et mouvement et qui ainsi exige du mouvement.

Au départ et au plus profond, il y a l'expérience ou le ressenti. C'est le premier niveau, celui de l'expérience immédiate et concrète, ou de ce que la personne ressent là, juste là, dans l'instant présent. À ce niveau, parce que le désir n'habite pas encore la personne, il y a de l'implicite, des possibilités, mais ce n'est qu'un départ – le début de la vie subjective. Viennent ensuite successivement : l'intention – qui suscite l'appartenance – le désir de mettre à l'extérieur, la décision, l'action et l'interaction. Une fois complétée, cette chaîne séquentielle recommence à nouveau à partir d'une nouvelle expérience. Pour que le mouvement puisse continuer, la personne doit donc passer continuellement à travers tous ces différents niveaux – expérience, intention, désir, décision, action – et l'action réalisée, le mouvement reprend avec une nouvelle expérience et sa suite.

---

40. Nous empruntons cette image à Bugental (1980).

C'est un système de mise-au-monde dont le processus dépend du mouvement qui lui-même dépend de l'action. L'action est nécessaire pour éviter que le mouvement se bloque ou se fige. Sans action, la personne ne peut que reprendre sans cesse et sans cesse les premières étapes – par exemple l'expérience ou le ressenti et l'intention – et alors ruminer toujours et toujours les mêmes thèmes sans jamais pouvoir passer à autre chose. Le fait d'agir, ou non, a même des répercussions sur l'état ou le bien-être de la personne. Sans action, le processus bloqué, la personne tourne à vide et en rond, sa pression intérieure augmente et son anxiété l'envahit ; par l'action, l'agir débloque le processus et favorise le mouvement et le sentiment de liberté chez la personne. D'une certaine façon la personne libère son expérience, ses désirs et ses décisions par et dans l'action.

> Paul repasse dans sa tête toutes les facettes de sa vie : il y a tellement de choses à faire, de relations à nettoyer, de projets à terminer et d'autres à initier, de choses du passé à réparer. Plus il tourne ces facettes dans sa tête, plus rapidement le carrousel tourne – de plus en plus d'images, de souvenirs, d'émotions. Il se sent coincé de partout, bloqué et figé. Puis d'un coup, il se lève de son fauteuil. Il met de l'ordre à son bureau, fait sa vaisselle et installe son lavage. Déjà les images se décoincent. Par son action, il ressent un soulagement intérieur car il réalise que s'il est capable d'agir ainsi, il

est aussi tout autant capable d'agir à nouveau et jusqu'à ce qu'il ait le sentiment que
sa vie est en ordre.

Nous ne sommes pas nos actions, nous sommes des agissants ; nous ne sommes pas nos pensées, nous sommes des pensants – des processus et des mouvements. L'action et le comportement font circuler le flot intérieur de vitalité. Si ce processus est bloqué et que l'intérieur reste figé, c'est que l'action ou le comportement choisi ne convient pas. L'arrêt du mouvement reste d'ailleurs l'indice le plus franc d'un comportement ou d'une action qui n'est pas approprié. Il importe alors de recommencer une autre action ou un autre comportement jusqu'à ce que le mouvement intérieur reprenne et se ressente – se ressente parce que l'adéquation entre l'action et le processus intérieur se ressent effectivement dans le mouvement intérieur qu'éprouve la personne.

La personne peut aussi – plus ou moins consciemment – choisir de refuser d'agir et ainsi bloquer sa conduite. Mais l'inaction ne peut que couper l'élan vital et interrompre le flot de la vie. Piétinant sur place, la personne se déforme[41] et risque plus ou moins de se perdre elle-même et de se voir régresser à des états plus primitifs. Durant cet arrêt d'agir, le plus souvent, l'angoisse s'emparera d'elle, et pour calmer cette montée d'anxiété, la personne s'inventera des histoires, ou

---

41. Déformer dans le sens de perdre sa belle forme, son harmonie.

utilisera toutes sortes de subterfuges mais peu importe, ils seront toujours illusoires.

Quand Gérard glisse dans ce qu'il appelle – le « passif », il n'arrive plus à travailler – ses efforts se dispersent et sa productivité demeure à son minimum. Il prend conscience de son pauvre rendement et il devient anxieux. C'est à ces moments particuliers que surgit sa pulsion de se travestir, de s'habiller en femme. Caché sous le vêtement féminin, il pense présenter un tout à fait approprié au regard de l'autre. Il croit plaire aux autres, surtout aux femmes, et surtout aussi sans être obligé de faire et de bâtir. Avec son personnage, il croit que la vie lui arrive, que l'amour lui est donné et qu'il n'a plus à se débattre et à combattre pour obtenir la vie et ses avantages. Il n'est pas conscient qu'en réalité, il rêve sa vie au lieu de la vivre en l'agissant et en la faisant.

Ainsi, ne pas agir sa vie, c'est un peu la perdre, c'est-à-dire passer à côté. Tout le monde est responsable d'agir sa vie, de la faire ; chaque fois que nous n'utilisons pas notre capacité d'agir, nous risquons d'éviter de vivre réellement ; en conséquence, nous devons vivre avec la culpabilité existentielle de passer outre la vie – la vie en général mais tout à fait particulièrement, la nôtre.

Le mouvement est donc nécessaire à la vitalité et le mouvement de la personne se fabrique par son action, par sa conduite. S'il n'y a pas de mouvement, il y a stagnation, culpabilité existentielle et en quelque sorte, mort. Par contre, s'il y a action, il y a mouvement et s'il y a mouvement, il y a vie, vitalité et goût de vivre. Le goût de vivre naît de ce que la vie se fabrique – vivre donne du goût de vivre.

La vie construite par l'action[42] et le mouvement est une vie sans cesse créée et recréée, et c'est pour cela qu'elle conserve son pétillement et son zeste. La vie routinière, parce que trop similaire et répétitive, risque plutôt de perdre sa qualité de vie, c'est-à-dire, de ne plus être vitalisante – même qu'elle peut par son absence de mouvement devenir inerte, morte, cadavérique. Toute personne doit donc agir pour sentir sa vitalité. Toute personne doit aussi, en plus, trouver la dose d'action nécessaire à son sentiment de vitalité. Si elle n'atteint pas la bonne dose d'agir qui lui est appropriée, peu importe la densité de sa vie intérieure, elle risque que l'anxiété et même la dépression s'emparent d'elle.

Par le mouvement de vie qu'elle fabrique en nous, l'action demeure l'un des plus grands talismans contre l'angoisse de vivre. La conscience d'être capable d'agir, de prendre l'initiative de l'action, de la poursuivre jusqu'à son actualisation et de la contempler une fois actualisée augmente en nous l'intensité et la force du goût de vivre. Cela procure un contentement, une conscience de la présence à soi-même, un sentiment de faire ce qu'il y a à faire et donc, la satisfaction d'avoir du pouvoir sur sa vie et sur la vie. Agir, agir pour vivre, vivre et se sentir

---

42. Cela n'exclut pas les périodes de contemplation et de calme sérénité consacrées à contempler et à refaire ses forces.

vivre – voilà le tout de ce qui donne du goût de vivre, et qui du même coup, assure et protège la personne contre l'envahissement par l'angoisse de vivre.

FAIRE SA VIE ?

Nous ne pouvons plus maintenant échapper au questionnement suivant : mais qu'est-ce donc que « faire sa vie » ? ou faire dans la vie ? Bien entendu, une seule réponse ne saurait faire – c'est dans plusieurs directions qu'il nous faut la chercher. Faire sa vie, c'est au départ briser l'inertie fondamentale, la force qui retient l'action ; c'est ensuite se sortir du néant et se pas-ser-au-monde ; c'est aussi se prolonger en s'augmentant ; c'est également mordre dans la réalité en se rendant adéquat au milieu et pour y laisser sa touche particulière ; c'est se continuer ; c'est reconnaître que le faire engendre le faire ; enfin, c'est exercer et mettre au monde sa volonté et son identité.

L'inertie fondamentale

Pour agir, il faut d'abord rencontrer et confronter et briser la force fondamentale d'inertie – cette force dont le propre est de nous lier puissamment à l'inaction.

L'action et le geste obligent la brisure de l'inertie fon-damentale – de la passivité, de la lourdeur d'être rivé à son fauteuil, hébété, hésitant et inactif. Par cette brisure, et soutenue par son intentionnalité, la personne opte pour le geste, le faire et l'agir. Elle fait, même si cette option s'accompagne de peurs et de craintes, parce que l'intention de se mouvoir a priorité. Agir est un risque mais un risque qu'il faut prendre car ce n'est que lorsqu'un comportement est engagé qu'il peut soulever chez la personne la satisfaction d'avoir un pouvoir à son service – de pouvoir faire quelque chose pour elle et pour sa vie. Par son agir, elle se donne la vie et elle sait aussi que si sa vie n'est plus satisfaisante, elle peut l'agir et la refaire à nouveau et autrement : refaire ses actions, re-styliser sa vie. Elle réalise effectivement que si elle a déjà engagé sa vie dans une direction, elle pourra la réengager dans une autre éventuellement et au besoin. Le simple fait d'avoir antérieurement agi transporte donc en lui-même les possibilités de recommencer et de répéter à nouveau, le geste ou le comportement, pour maintenir la satisfaction de vivre.

> Tout en sirotant son premier café, Serge pense aux différents projets possibles pour sa journée. Il se sent attiré par le camping. Il veut bien aller poser sa tente en pleine nature mais il hésite à partir : sa femme dort et d'ailleurs, elle n'est pas très enthousiaste pour le camping ; ses enfants préfèrent la ville et la compagnie de leurs amis ; et lui, la perspective de passer sa fin de semaine seul au camping, le rebute un peu. Serge se balance entre rester à la maison ou partir en camping. Les images de la montagne, du soleil et du vent l'attirent – par contre, le doux contact avec sa bien-aimée, le plaisir de sa présence le retiennent. D'un seul coup, il décide d'agir, de partir. Il plie ses

bagages, laisse un petit mot à sa famille les invitant à le joindre et il se rend au camping. Installé, il éprouve une grande satisfaction d'être sorti de son inertie, de s'être décidé. Il réalise aussi qu'il peut continuer à agir et à changer sa fin de semaine si celle-ci devient insatisfaisante. Cette capacité et ce pouvoir sur lui-même et pour lui-même le remplissent de contentement.

Être capable de briser l'inertie fondamentale, primitive, c'est se percevoir comme moteur de sa propre vie et se ressentir comme agent du style de sa vie – du moins d'une bonne partie de sa vie.

Briser l'inertie, c'est essentiel – et souffrant

L'inertie engendre l'inertie ; l'action engendre l'action. La personne ressent au départ un malaise à couper l'inertie, c'est un peu comme le tiraillement d'un système rouillé qui résiste au rythme et qui pour reprendre implique un effort – ici l'action ou le geste. Cette inertie au départ est ressentie corporellement, tout comme si le corps s'était appesanti et alourdi. Cette sensation de pesanteur corporelle s'accompagne la plupart du temps d'émotions lourdes comme le désintérêt, la désespérance, l'insatisfaction de soi ou le non contentement de sa vie. La chair lourde et le cœur pesant ont vraiment l'effet d'une force centripète qui porte fortement la personne à refuser l'agir et qui la colle conséquemment à l'inaction.

Paul est figé sur sa chaise. Il se sent comme collé à cette chaise, incapable de briser ces thèmes qui lui tournent sans cesse dans la tête : « Ça ne me tente pas ! À quoi ça sert ? Ça ne vaut pas la peine ! » Il décide tout à coup de confronter aveuglement ces lourdeurs et de sauter dans l'inconnu de l'agir presque comme en un engagement aveugle, et à sa surprise, il réussit à se décoincer et à se défiger le cœur. Il refuse de s'analyser, de mesurer ses oppositions – il saute dans la vie. Il se lève, s'habille, sort sa pelle et va déneiger son perron. Il se surprend même à se sentir d'attaque pour déblayer son trottoir.

Lorsque l'inertie s'exerce, toutes les oppositions que la personne peut lui faire apparaissent comme sans plaisir, ternes et même désagréables. Il n'y a pourtant pas d'autre solution que celle d'accepter ce terne et ce désagréable pour réussir à défaire cette force. Accepter les misères et les inconvénients doit aussi s'accompagner d'un leitmotiv qui permet à la personne de continuer et d'endurer le désagréable jusqu'à ce que l'agir soit engagé et qu'il transporte en lui son propre ressort. Ce leitmotiv porte la personne à un niveau supérieur de motivation et maintient, tout en la rendant acceptable, la lutte contre l'inertie.

Bernard n'osait pas arrêter de fumer. Lorsqu'il pensait au désagréable et à la misère de ne pas fumer, cela le rivait à sa bonne vieille habitude. Mais lorsqu'il a réalisé qu'arrêter de fumer était aussi une manière d'exercer son pouvoir sur lui-même, cela l'a convaincu. Il a accepté à l'avance les misères ; il les a confrontées à mesure qu'elles se présentaient et il a finalement réussi à cesser de fumer.

Briser la force d'inertie implique donc de tolérer l'agacement, le malaise, et de maintenir l'effort jusqu'à ce que l'effet désiré soit obtenu ou que le but soit atteint. Pour tolérer l'agacement et le malaise, il faut à l'occasion[43] les mettre hors-conscience, c'est-à-dire pour un moment ne pas y penser afin d'éviter qu'ils s'auto-génèrent et qu'ils focalisent ainsi la conscience que sur l'effort à fournir. Même que le succès de l'entreprise ou la recherche de la satisfaction à venir en arrive à prendre tellement d'importance que l'agacement finit presque par se souhaiter ou la difficulté et le malaise finissent par se désirer, parce qu'ils sont des indices de la qualité de la satisfaction qui viendra. La satisfaction post-effort est en quelque sorte proportionnelle aux difficultés de l'œuvre à accomplir.

L'effort pour s'opposer à la force d'inertie, c'est le coup de cœur pour décoller l'habituel, pour séparer l'adhérence, pour couper l'automatisme sécurisant et plaisant et pour répéter sans cesse le de demeurer avec le même, le connu, l'habituel, l'automatisme – répéter ce *non* jusqu'à ce que le ventre fasse mal pour arriver enfin

---

43. Il convient aussi à l'occasion de prendre conscience et de nommer ses difficultés et ses problèmes.

à mettre au monde son idée, son concept, sa volonté. S'opposer à l'inertie, c'est souffrant mais toute cette souffrance ne peut se prendre que pour réussir à faire, à mettre dans la chair (incarner), ce que l'on veut faire afin que notre vie résulte de notre désir et de notre volonté et non pas d'un esclavage face aux vents extérieurs ; afin aussi de se sortir d'un sentiment d'impuissance qui empêche que les choses se fassent.

> Pierre en a mis des efforts et en a pris des souffrances pour réussir à cesser de boire. Sans cesse il devait dire *non* à ses soifs et *non* aux amis qui le sollicitaient. À certains moments, ses lui tordaient littéralement le ventre, mais il résistait, il continuait. Ses besoins d'être le maître de sa vie, de ne plus être l'esclave de la bouteille et de s'estimer étaient plus forts que ses souffrances – enfin, il a réussi. Aujourd'hui, il doit toujours dire *non*, mais cela est plus facile, moins souffrant et il est tellement content d'être ce qu'il est.

Souvent, le désir est clair mais l'action qui serait appropriée au désir ne se fait pas, se bloque et se retient parce que le plan d'agir, l'ordre à installer dans les différents efforts, n'est pas assez présent. L'inertie s'apparente au chaos et tout comme le chaos[44], elle possède sa force d'attraction. Pour contrecarrer l'inertie, il faut

---

44. Il y a un vertige que suscite le chaos : la personne fascinée peut perdre sa conscience et se laisser happer par ce chaos.

donc une insistance particulière sur l'ordre et l'harmonie et sur son maintien énergique afin que le chaos, le vide, le flagada ne réussissent pas à river la personne. Si l'inertie et le chaos sont plus forts, la personne est encore plus figée, ressent encore plus de fatigue ou de peur des autres ou de tout autre obstacle qui habituellement l'empêche d'agir.

> Assise devant son travail de session, Marie n'arrive pas à commencer à le produire. Qu'est-ce qui se passe ? Qu'est-ce qui bloque son expression et qui empêche qu'elle mette en mots et sur papier ce qui importe en elle, ses idées sur son travail ? Le frein à l'action, le blocage de l'agir, Marie le connaît souvent ; à chaque fois, elle se sent comme si elle portait une lourde robe de plomb – tellement lourde qu'elle l'empêche de faire quoi que ce soit. Elle est alors distraite de son travail par toutes sortes d'autres choses à faire. Pour sortir de cet état, Marie n'a qu'une solution : briser la glace *malgré* la robe de plomb ; ouvrir son texte et créer des idées et des mots *malgré* l'opposition de l'inertie. Elle fera d'abord un plan et ensuite elle commencera par situer sa problématique. L'organisation de son texte coupe lentement l'appel du chaos et défait ses fatigues habituelles qui autrement la laisseraient toute défaite.

Quand l'inertie est là, prête à s'installer, seule une plongée aveugle et sourde[45] dans l'agir peut déclencher le mouvement et démarrer l'action. D'une certaine façon, l'agir doit avoir en lui-même un sens – un sens non pas seulement dans les retombées de l'agir, mais un sens d'être là, là pour l'agissant, le sens d'avoir agi, d'être content et satisfait d'avoir agi.

Donc, d'un côté l'inertie, et de l'autre l'agir. Également, d'un côté, briser l'inertie par l'agir, et de l'autre, agir par l'élan et pour le goût de l'avenir. Face à cela, établir et ré-établir sans cesse un mariage harmonieux entre briser l'inertie et goûter l'avenir – autrement dit, entre le coup de pouce pour sortir de l'inertie et l'élan vers pour goûter l'avenir. Chacun, à chaque moment de sa vie, doit trouver ce mariage et l'exercer. À certaines époques, il faut davantage de coup de pouce, de décollage de l'inertie ; à d'autres, le goût de l'avenir tire plus fort. Il n'y a pas d'une fois pour toute dans cet équilibre. Il n'y a pas de style définitif ; il n'y aura jamais de style définitif et absolu. Il faut accepter de toujours recommencer, de toujours reprendre notre contrat avec la vie, de faire notre vie, et pour cela, de briser sans cesse l'inertie fondamentale – ce sera moins pénible si l'action s'accompagne d'un élan ou d'un goût pour l'avenir, mais aussi, si la personne conscientise combien sa lutte contre l'inertie peut lui permettre de s'actualiser et de se réaliser. En effet, briser l'inertie fondamentale, mobilise la masse lourde de l'inaction, aller à l'encontre de la

---

45. Sourde dans le sens de ne pas être trop à l'écoute de nos petites misères toujours susceptibles de nous laisser emporter par l'inertie.

pesanteur de la non-conduite, toutes ces habitudes – avant même que l'action démarre – sont cruciales dans le sentiment d'adéquacité et de compétence d'une personne. Elle peut ainsi se sentir actualisée, réalisée.

Il n'est quand même pas facile de lutter contre l'inertie. C'est difficile entre autres parce que cette force d'inertie prend plusieurs visages et que de la même façon le courage nécessaire pour la confronter doit aussi se revêtir de plusieurs nuances. La force d'inertie est présente partout – partout dans la routine, dans la répétition, dans le même, et partout la personne risque de s'engluer et de se scléroser sans pouvoir s'en défaire pour aller vers le nouveau et vers le différent et ainsi faire sa vie. Comme toute force centripète, plus l'inertie dure, plus elle retient la personne d'aller vers l'action. Comme nous le disions, l'inertie engendre l'inertie. Il faut se brusquer, parfois un peu et parfois beaucoup, pour s'en libérer et cela, presque quotidiennement.

> Dans mon lit le matin, lorsque je prends conscience de la chaleur et de la douceur du lit, j'augmente la force de l'inertie en proportion de la focalisation de cette conscience. Je sais que lorsque je continue à me glisser dans la douce chaleur de mon lit, l'effort demandé pour en sortir sera tellement grand que je n'arriverai peut-être pas à le fournir. Par contre, lorsqu'à la sonnerie du cadran, je me lève d'un bond et que je saute hors de mon lit, j'empêche l'inertie de fonctionner – je lui coupe le sifflet et je souris de mon stratège.

L'effort anti-inertie ne réussit toutefois pas à éliminer la totalité de l'inertie[46]. L'inertie n'est jamais complètement brisée et elle ne cesse jamais tout à fait de jouer son rôle ou d'exercer son pouvoir. C'est là que l'effort anti-inertie prend du courage. Le courage de recommencer, d'essayer à nouveau et de reprendre le collier quand il y a une chute. C'est l'effort malgré l'échec, malgré la chute – l'effort accompagné par l'acceptation de notre faiblesse de ne pas réussir du premier coup, de notre petitesse ou plutôt d'être si ordinaire qu'il faille, comme tous les humains et parce que l'on est humain, recommencer et recommencer encore. Accepter cela c'est prendre soin de soi. Ce soin par rapport à nous-mêmes doit être plus grand que la peine, l'orgueil bafoué ou la honte de l'échec.

> Daniel est encore en chômage. On vient à nouveau de le remercier de ses services. Quelle déception ! Quatre mises en chômage depuis un an : il avait pourtant réussi à se mobiliser chaque fois et à repartir à la

---

46. L'inertie, par ailleurs, possède ses avantages certains lorsqu'il s'agit de favoriser le repos, la détente et même la sérénité. C'est lorsqu'elle est trop exclusivement focalisée que l'inertie peut jouer le même rôle inhibiteur que, par exemple, la sur-conscience. Par son évaluation constante de la personne, la sur-conscience coupe les jambes et empêche la pleine subjectivité de s'exercer à cause de la grande présence de l'objectivité des sois, des paraîtres (voir chapitre 10). De la même manière, l'inertie exclusivement focalisée plutôt que de favoriser le repos, elle fatigue – elle fatigue parce qu'elle bloque le ressort de la spontanéité.

chasse d'un emploi. Mais là, il est vraiment fatigué ; mais même là, il doit recommencer, malgré la honte d'avoir perdu son emploi et de n'avoir pas été à la hauteur. Il se sent lourd et pesant et pourtant… il le sait bien : lundi, il repartira vers le Centre de la Main-d'œuvre. Il sait qu'il a besoin de continuer, qu'il veut se donner la satisfaction de travailler, qu'il veut se sentir compétent, qu'il mérite de s'occuper de lui… et avec courage, il s'occupera de se donner un travail.

Prendre la réalité telle qu'elle est, avec tout ce qu'elle est, cela implique de prendre aussi le petit détail désagréable, le petit embêtement lourd, le malaise qui démotive et de confronter chacun de ces freins à l'action – aussi anodin qu'il soit – de le confronter par le désir réel et l'intention bien pointée sur l'objectif à atteindre, qu'il s'agisse de préparer un gâteau, d'écrire une lettre ou de donner un cours. Ce ne sont souvent que des petits fils à la patte, mais ils suffisent pour maintenir l'inertie – il faut les couper et les briser, et pour cela, il faut davantage conscientiser leur faiblesse que l'effort à fournir.

Se lever de son fauteuil, sortir l'aspirateur, le brancher et commencer le ménage semblent à Louise des montagnes à escalader. Pourtant, veut-elle la propreté de son logement ? Veut-elle ce bel ordre[47] qu'elle retrouve après le ménage ? « Bien oui » se dit-elle Elle se lève et s'exécute.

Agir malgré

L'inertie de vivre est l'opposé du zeste de vivre. Il n'y a pas de zeste s'il y a trop d'inertie. L'inertie présente, la personne se cabre et d'une certaine façon elle refuse que la vie pétille. La vie pleine de zeste est une vie d'action et de mouvement mais aussi d'harmonie avec le repos et l'inactivité ; la vie inerte est une vie comme morte, cadavérique – une vie qui se cabre et s'obstine dans la routine et le semblable.

> Louise était tellement contente d'avoir enfin trouver un homme qu'elle aimait – un homme vivant, plein de projets et stimulant. Quel beau mois de vacances elle a passé avec lui ! Elle a appris à nager ; elle a découvert des nouveaux pas de danse ; elle a même réussi à parler l'anglais. Puis là, ce fut la déception. L'homme l'appréciait comme compagne de vacances mais il ne l'aimait pas et bien plus, il était en amour avec une autre femme. Toute la déception de Louise ! Au début, elle pensa même au suicide. Puis, malgré la déception, elle se ressaisit. Si elle se pensait capable de se donner la mort peut-être pouvait-elle aussi, malgré la

---

47. L'ordre et l'harmonie peuvent motiver la personne à sortir de son inertie mais bien entendu, celui ou celle qui ne recherche que l'ordre, seulement l'ordre et l'harmonie, la propreté et l'hygiène sans contacter le pétillement du désordre, peut susciter en lui un *absolu* de l'ordre – une obsession de l'ordre, une rigidité ou un qui tue l'humain.

déception et purifiée de ses attentes magiques par cette déception, se donner la vie. Elle est repartie à la chasse d'un compagnon.

En fait, faire sa vie en coupant d'abord la force fondamentale d'inertie peut pour la personne se résumer à agir sa vie pour son bien *malgré* – malgré la résistance, malgré l'opposition et malgré la fatigue. C'est agir malgré le tiraillement et la possibilité de la fatigue pour éprouver la vraie satisfaction. Ce malgré peut même être souhaité afin d'augmenter la grandeur de la satisfaction après la résistance. La satisfaction particulière qui est attachée à ce malgré augmente à mesure que l'inertie s'oppose. Ce malgré doit être conscientisé et intégré pour que l'action advienne davantage. Il est même possible d'en faire l'éducation : éduquer à l'effort, au goût et au désir malgré la résistance. Il y a tellement d'absence de créativité, d'invention et de belles actions à cause de ce refus de l'effort et du malgré.

André sait très bien que laisser son domicile douillet le samedi matin pour aller passer sa journée à skier implique un effort et une lutte contre sa passivité fondamentale. Ce qu'il sait aussi c'est que le plaisir de sa journée de ski lorsqu'il se voit aux cimes des montagnes, avec ce vent et ce soleil complice et tout ce splendide panorama des petits villages autour de la montagne – tout ce plaisir est proportionnel à la résistance de quitter son confort douillet. Il est content d'être en ski, et son contentement est doublé par sa victoire sur le *malgré* et par la satisfaction d'avoir du pouvoir sur sa passivité. Il peut même appliquer cette nouvelle politique de partir de chez lui *malgré* l'opposition de son « cocon » face à ses relations avec les autres. Il double son plaisir de rencontrer des personnes riches et débordantes par celui de vaincre sa propre inertie et aussi de se rendre plus appétissant.

Cette bataille contre l'inertie et la passivité, il semble bien que même Michel-Ange la livrait. Pour faire ressortir l'image qu'il y voyait, avec ses blocs de marbre lourds et difformes le célèbre Michel-Ange se battait. Pour libérer l'image ou la figure de sa prison de marbre, il se collaillait contre la matière. La créativité et la conquête de la dureté du marbre impliquaient une bataille – tout un élan et tout un désir de vaincre l'inertie et l'informe de la matière. La résistance du marbre, matière brute, était d'une certaine façon proportionnelle à la qualité de l'œuvre que Michel-Ange allait laisser à l'humanité. Dans son bloc de marbre informe il devinait une figure – une pointe lui rappelait un genou ; une rondeur, une tête – un peu comme on devine un enfant dans le ventre de sa mère. Cette figure, il fallait qu'elle existe déjà fortement en lui-même pour qu'il puisse la deviner dans le marbre et la mettre-au-monde, qu'elle prenne forme, dans le bloc de marbre. Chaque coup de ciseau ou de marteau était inspiré par cette figure déjà existante en lui. Sans l'inspiration – la figure en soi – les coups de marteau et de ciseau perdent leur précision et leur adéquation – ils glissent et se ramollissent sans réussir à percer la prison du marbre : le chef d'œuvre y reste enfermé. En confrontant ses blocs de marbre inertes pour finalement rendre vivant le beauté d'un David, Michel-Ange nous donne tout un exemple du courage et de l'inspiration nécessaires pour lutter contre l'inertie et pour mettre au monde le vivant. Bien sûr nous ne sommes pas Michel-Ange, mais nous pouvons tout de même encore trouver plusieurs occasions même quotidiennes de confronter l'inertie pour faire ressortir de la vitalité, de la beauté et de la créativité par nos gestes.

> Tant que Pierre se limitait à sa manière habituelle de caresser Marie, il ne faisait que répéter gestes et serrements. Le jour où il voulut vraiment aimer Marie en lui faisant vraiment l'amour, sa caresse devint inspirée par la créativité. Plutôt que complètement poussé par l'usage, son geste de caresse était maintenant habité par un souci et un goût d'inventer du plaisir pour Marie, de transformer le corps de Marie, de le sculpter pour lui faire un plaisir tout neuf. Sa victoire sur la routine s'était faite par son souci de faire du neuf.

Vaincre l'inertie demeure la première étape vers l'agir et sa principale condition. Faire sa vie, agir, c'est aussi se sortir du néant et donc se passer-au-monde.

Se passer au monde

La voie royale pour se passer-au-monde c'est encore faire ou agir. Par son action, la personne se manifeste et se dévoile, du moins en partie. L'action représente le signe palpable de l'engagement de la personne dans la vie. Parce qu'elle agit et à travers son agir, elle conscientise qu'elle accroche à la réalité, qu'elle y laisse sa marque. Cette prise de conscience suscite du goût de vivre, le goût de continuer à interagir avec la réalité extérieure. En somme, faire et agir présentent au monde la personne ; ils la font voir à travers son action et sa conduite. Ainsi, celui ou celle qui n'aime pas ce qu'il ou elle est n'arrive pas à se passer-au-monde – il ou elle a honte, honte de lui ou d'elle-même ; honte de ce qu'il ou qu'elle est. Celui-là ou celle-là n'agit pas. Bloqué(e) par l'inhibition de la honte de soi, ses risques de se voir happer par l'inertie sont d'autant plus augmentés qu'il y a la peur de l'évaluation de l'autre sur ce qu'il ou elle est.

Mettre le faire au service de l'être

Pour se passer-au-monde, une façon équilibrée de vivre l'action est nécessaire. Si l'action est l'expression de la personne, l'inhibition de l'action comme la survalorisation de l'action nuisent plutôt qu'elles ne favorisent la mise-au-monde. Ainsi, un trop grand détachement par rapport à son action ou à son comportement peut devenir un manque de respect envers soi-même – soi-même étant l'auteur de l'action ; une trop grande focalisation de la personne – de la totalité de la personne – dans chacune de ses actions inhibe la conduite. Placée tout entière dans une action, la personne n'est que son faire, et alors elle hésite à se manifester dans son être, dans ce qu'elle est. Pour certains, le faire devient effectivement le seul critère de l'existence, tout comme si le droit d'exister ne pouvait reposer que sur l'obligation de faire. Ce type de faire – celui qui coupe la personne de ses autres ressources (penser, imaginer, etc.) – bloque et rive la conscience qui, elle, n'a alors plus accès ailleurs. Le faire et l'action ont donc leurs maladies : faire trop, faire pas assez, pas faire, peur de faire, mal faire, faire tout croche… Des maladies qui se traitent par un équilibre que chacun doit trouver – l'équilibre entre l'action à tout prix et l'absence d'action. L'agir doit être approprié à la personne, c'est-à-dire qu'il doit permettre l'actualisation d'une potentialité réelle de la personne, et ce, sans qu'elle ne s'y enferme ou ne s'y noie.

Pour qu'un agir soit approprié, il importe aussi – et peut-être surtout – que la personne prenne conscience – et reste consciente – qu'elle ne réside pas entièrement dans chacune de ses actions et dans chacun de ses gestes. Autrement dit, même si c'est la personne qui agit, elle n'est pas son action – elle est, d'abord et entièrement ; ensuite, elle choisit d'agir en fonction de ce qu'elle est. L'être précède le faire, pas l'inverse. Le faire, l'action ou l'agir exprime l'être, mais ne le constitue pas. Et même là, l'action n'exprime en fait qu'une partie de l'être d'une personne. Ainsi, tout aussi importante que soit l'action comme mode d'expression de la personne, de son visage public ; tout aussi important est de cons-cientiser que la personne est beaucoup plus que ce qu'elle exprime par ses agirs – elle est. L'action ne passe donc pas tout de la personne.

> Denis ressent la pulsion de s'exhibitionner, de montrer aux autres son pénis en érection. En retrait derrière le rideau de son salon, il caresse et stimule son pénis pour conserver son érection. Il surveille en même temps les passants sur sa rue. Aussitôt que quelqu'un regardera vers sa fenêtre, il exhibera son pénis en pleine érection. Plus il attend, plus il ressent l'anxiété de se faire prendre, de s'attirer des ennuis, et celle de perdre sa liberté. En même temps, lui reviennent les paroles de son amie à qui il s'est confié : Cette parole lui traverse le cœur. Il n'est pas que ça, que pénis en érection, qu'organe génital ; il est bien d'autres choses. Il n'a pas à s'acharner à montrer son pénis. Là, il sent l'anxiété diminuer. Il se désintéresse de plus en plus de cet agir obsédant. Il remonte sa fermeture éclair et il se prépare à partir pour son travail avec un petit sourire intérieur : il n'est plus que ça !

Une action peut facilement enfermer une personne si elle-même se réduit à son action, ou si elle-même ne se définit que par son faire. Se sentir liée à ses travaux et à ses « réalisations » extérieures comme une araignée à sa toile empêche la personne de se réaliser elle-même comme personne. Se vivre insécure et anxieuse parce qu'elle quitte – ne serait-ce qu'en pensée – ses accomplissements tronque la personne de sa globalité et de sa largeur – comme une araignée ne serait araignée que parce qu'elle tisse sa toile. La meilleure manière de faire et la meilleure façon de négocier son faire, c'est d'être. Être avec toute la largeur de sa personne, donc sans aliéner sa globalité.

> Maryse songeait souvent à ses « accomplissements » : ses travaux, le nombre de ses amis et de ses conquêtes. Lorsqu'elle se sentait anxieuse, inconfortable ou gênée, spontanément pour se calmer, elle pensait ou comptait le nombre de ses amis, les repas qu'elle avait préparés, la clôture qu'elle avait réparée, etc. Mais un jour vint où elle n'était plus habile et plus capable de faire : ses travaux n'avançaient plus ; elle remettait sans cesse les choses à faire. Elle découvrit jusqu'à quel point, elle ne se définissait que par ses travaux. Elle n'était que ce qu'elle faisait. Elle, en dessous de ses travaux, qui était-elle ? N'était-elle en vie que pour agir, faire et travailler ? Avait-elle un autre sens pour sa vie ? Lentement, après toutes ses souffrances de se sentir vide et insignifiante, elle apprit à changer cette définition d'elle-même et à laisser aller ce besoin d'accomplir et de faire. Elle se donna plus de place en elle-même, plus de largeur. Elle était tellement plus significative que ses travaux, ses réalisations. Elle pouvait maintenant se choisir, déambuler sur la rue sans se rendre nulle part, flâner dans un centre d'achat juste pour regarder

les gens et les vitrines. Elle était tellement plus que son faire.

Entre faire et être : l'estime de soi

L'expression de soi-même par l'action renforce la personne en autant qu'il y ait congruence entre soi-même et l'action – entre son vrai désir et l'action qui s'ensuit. D'une certaine façon, l'estime de soi est proportionnelle à l'expression de soi dans la parole, l'agir ou le comportement. Plus et mieux la personne s'exprime, mieux elle est avec elle-même et plus elle s'estime. L'expression à travers le faire sert de baromètre à l'estime de soi. La personne qui ne s'aime pas, n'agit pas – même dans les plus petites actions. Elle voit son reflet dans l'action comme dans un miroir et alors elle revoit l'image de ce qu'elle n'aime pas, elle-même.

> Même s'il veut voir son logement tout propre et en ordre, Paul n'arrive pas à se mettre en branle. Il voudrait sortir l'aspirateur, le brancher et faire de l'ordre, mais il se sent impuissant. Pire, la seule pensée de ces actions lui tourne le cœur. Il se sent défait et impuissant à mettre au monde ce qu'il désire puisque son faire ne pourrait que reproduire le dégoût qu'il a pour lui-même.

Quand la honte de soi-même et le dégoût de ce que nous sommes sont là, le faire devient automatiquement pénible parce qu'un rappel incessant de notre laideur. Et alors, la personne s'enlise encore plus parce que l'absence du faire et le douloureux « spectacle » de l'agir non fait ne peuvent que désoler et recroqueviller encore plus la personne. Lorsque la désespérance est à ce point, prendre le risque de faire, même la plus petite action et la plus anodine, est indéniablement préférable à l'inaction puisqu'elle permet à la personne d'œuvrer sur la réalité, d'y reprendre prise plutôt que de ruminer le dégoût d'elle-même.

> Malgré toute sa lourdeur, André a quand même réussi à colliger les déchets des paniers et poubelles de sa maison et à les déposer dans un sac de plastique. Il pose, avec plus ou moins d'adresse, l'attache au sac. Puis il finit par transporter à la rue son sac de déchets. En le déposant, mal attaché, le sac penche, l'attache se défait et les déchets se répandent. se dit-il. Sans même les ramasser, il retourne à la maison avec toute cette laideur de lui-même au cœur. Puis, il se ravise : « Il y a tout de même une limite ! » Il retourne à la rue, remet les déchets dans le sac, le referme avec plus de solidité et revient chez lui avec en lui un tout petit coin qui sourit. Après tout, il n'est pas aussi dégueulasse puisqu'il a réussi à rendre approprié son désir et son faire dans ce petit geste ordinaire.

Une bonne partie de l'estime de soi peut aussi s'édifier à partir de l'action et du faire et parfois même du plus petit geste. Simplement s'apprécier, se contenter de ce que nous sommes, s'accepter avec nos manques et nos ressources et souvent, c'est suffisant pour nous conduire à nous exprimer et à nous dire par notre agir. Nous valons la peine, notre peine, de nous réaliser par l'action.

Risquer – au-delà des attentes des autres

Mais il y a un risque, des risques. Faire, c'est aussi se sortir du néant, s'amener à l'existence. Or il est possible de ressentir une menace à son existence en mettant au monde une facette de soi-même à travers son action. Certains préfèrent ne pas risquer cette menace et se tiennent à l'écart du faire tandis que d'autres préfèrent surveiller le faire et l'action des autres pour les évaluer. La personne est toujours la seule responsable de son existence, particulièrement de celle qu'elle choisit de traduire dans la réalité par son action. Si la personne ne prend pas la responsabilité d'agir son existence, l'action n'arrive pas et la mise-au-monde de ce qu'elle est laisse place à une existence tronquée – la personne passe à côté d'elle-même au lieu de se passer au monde.

> Benoît examine sa vie tout en désordre. Il l'imagine avec l'espace et l'harmonie s'il se décidait à y mettre de l'ordre. Il réfléchit. Il réalise que pour que lui-même s'implique, il doit s'arranger pour vouloir suffisamment que l'ordre se fasse.

Agir, c'est se montrer aux autres. Bien des actions se feraient si elles restaient anonymes, c'est-à-dire sans signature qui permette d'identifier l'appartenance de ces actions. Se montrer par son action, c'est évidemment s'exposer aux regards des autres – voilà la menace ;

mais agir, c'est aussi naître – voilà l'enchantement. La personne sait très bien que par son action elle se sort du néant de l'anonymat et qu'elle émerge du vide de la non-mise-au-monde. Elle sait bien sûr qu'elle s'expose par là aux autres et à leurs jugements, mais surtout elle réalise, savoure et contemple sa venue au monde. Elle s'annonce aux autres et à la vie : À partir de cette position – J'existe et je suis – la personne développe une manière toute personnelle d'exister – celle qui n'est ni celle des autres, ni celle des référents extérieurs parce que la sienne. La manière d'agir qui est appropriée à une personne reste celle qui lui permet le plus de sortir du néant, de s'exprimer et donc de s'exister.

Le « faire pour soi », pour s'exister n'arrive pas à venir au monde si le occupe l'intentionnalité et la conscience d'une personne. D'une certaine façon, le faire doit toujours s'« égocentraliser » pour obtenir sa pleine mesure et vraiment démarrer. Ce n'est que par la suite qu'il peut ajuster son action à l'autre pour le rejoindre – parce que c'est aussi souvent son bien que de rejoindre l'autre, et le plus souvent, il y parvient encore mieux si au départ, il s'est préoccupé de lui-même.

> Tant que Sylvain n'était qu'écoute des attentes de Lise, il n'arrivait pas à se sentir présent dans sa caresse. Il la touchait, mais du bout des doigts et tout en cherchant sur son visage des signes d'approbation ou de refus. En quelque sorte, il ne caressait pas Lise, il la chatouillait. Tout a changé le jour où il a décidé de cesser de n'être qu'au

service du plaisir de Lise pour plutôt s'exprimer lui-même par sa caresse – celle-ci ob-
tint une présence et une plénitude tout à fait
différente. De plus, comme Lise ressentait la
présence de Sylvain sous sa caresse, elle
goûtait davantage à la rencontre et sa propre caresse obtenait aussi une coloration
plus vivante.

Tout aussi imparfaite que soit la manière propre et
unique d'agir, elle conduit toujours la personne à continuer « le faire » pour s'exprimer encore davantage. La
mise-au-monde de soi-même constitue alors le principal
ressort à l'action, au geste et à la conduite. On espère
rejoindre l'autre, mais on ne s'y attarde pas. Malgré le
réconfort de l'acceptation de l'autre, cette acceptation
doit demeurer secondaire à la mise-au-monde et à
l'expression de soi à travers l'action. Ainsi le faire ne doit
plus se coincer dans la tentative de rejoindre les attentes des autres et ne doit plus se mesurer à partir de critères imposés par les autres. L'acceptation par l'autre,
doit en somme être vécue comme un plus, pas une
nécessité. Quand elle vient, assurément elle est bienve-
nue – et tellement savoureuse – parce qu'elle stimule le
faire et la conduite de la personne qui, par cette acceptation, se sent reconnue et confirmée dans ce qu'elle
est. Ressentir que notre manière propre d'exister vaut la
peine pour quelqu'un d'autre (surtout si ce quelqu'un
d'autre est aimé) mobilise effectivement les ressources
et déploie nos énergies – toute l'énergie nécessaire
pour continuer et persister dans notre manière d'exister.

L'encouragement par l'autre énergise la personne, polarise les ressources et alors, polarise l'agir. Il suscite le ressort du « ça vaut la peine ce que je suis » et en ce sens, il est une sorte d'invitation à vivre[48]. Il vient en somme combler le doute fondamental que transporte chaque personne de bonne foi quant à son droit d'exister et d'être. En reconnaissant l'autre dans son être, l'encouragement permet à cet autre d'exprimer son être dans le faire. Ainsi encouragée (mise en courage), la personne investit davantage son action et son faire, son action à faire, et elle s'énergise alors elle-même pour agir. Elle utilise son énergie, et elle estime aussi que cela (son action) vaut la peine puisqu'elle-même vaut la peine. Elle mobilise son attention et ses ressources au service de la mise-au-monde de son action parce que c'est de sa propre mise-au-monde qu'il s'agit.

> Marie lit les commentaires de son professeur sur son travail de session. Elle sent monter en elle toute la fierté d'avoir été bien évaluée. Elle est contente et débordante d'énergie. Elle se sent capable et pleine de ressources. Bien plus, cela la motive suffisamment pour entreprendre immédiatement son deuxième travail — toute fière de pouvoir se manifester à nouveau.

---

48. Voir chapitre 11.

Se prolonger et s'augmenter

L'action qui est appropriée est une action qui prolonge la personne au-delà d'elle-même et en interaction avec les autres et avec son milieu. La personne agissante s'élargit et se développe par l'action et par l'interaction. Elle agit mais aussi elle accueille – à travers le chemin ouvert par son action – l'action de l'autre ou le changement de son milieu, changement suscité par son action et les deux, lui reflètent son pouvoir sur la réalité.

> Le gazon fraîchement coupé, Paul apprécie le résultat harmonieux de son geste. Conscient de sa capacité de se donner de la beauté par son geste, il se retourne maintenant vers l'étagère qu'il construit. Il continue ailleurs son action. En agissant sur son milieu, il le change et cela lui donne le goût d'agir à nouveau, de continuer.

Par son action, la personne agit sur son milieu et le change. Il s'ensuit une conscience différente de l'interaction entre elle et son milieu. L'agir provoque ainsi des expériences personnelles différentes qui élargissent sa conscience.

> Tant que Marthe se rivait à son appartement et à sa pension alimentaire, elle baignait dans la morosité. Le jour où elle a décidé de se trouver un emploi, de l'occuper et d'en prendre les stimulations, son décor intérieur a changé. Elle a constaté plus de mouvement de son émotif – des temps de joie et des temps de fatigue ; des moments de

découverte et des moments de routine – de la vitalité, quoi ! Elle savait aussi qu'elle pouvait changer d'emploi, malgré les risques, et s'ouvrir à d'autres expériences.

Nos actions ne sont donc pas insignifiantes, sans impact – pas plus d'ailleurs qu'elles sont le résultat du hasard. Nos actions portent et soulèvent des conséquences, des effets, qui jouent sur notre destinée. Elles servent ainsi à nous rendre conscients que nous ne sommes pas des marionnettes insignifiantes, résultat seulement des influences sur nous. Nous importons. Avec notre pouvoir d'agir, nous contrôlons notre avenir – du moins ce qui peut en être contrôlé – et nous avons du poids et une prise sur notre réalité. L'action est en polarité avec l'être – allumée, l'action permet à l'être de s'illuminer. Il ne faut donc pas la faire pâlir, l'évider de sa force puisqu'elle permet à l'être de s'irradier.

L'action nous relie à l'extérieur et au milieu. Par ce lien, l'action assure la continuité du processus et l'empêche de s'engorger et de se coincer. Elle permet que le flot de la vie se poursuive. Par la mise en contact avec le milieu, l'action favorise le mouvement intérieur de la personne, et de son organisme. Ce mouvement reprend ou continue (voir Gendlin, 1962). Le contact avec l'extérieur établi, la personne peut plus facilement ressentir l'apport de cet extérieur à sa vitalité parce que, à travers le contact établi, la personne accueille la vie qui graduellement s'enracine en elle.

Mordre dans la vie

Faire, c'est aussi maîtriser, prendre main, mordre dans la réalité et la vie – lui donner sa touche personnelle. Par cette mainmise sur la réalité, la personne confirme sa significativité – la réalité ne lui est plus indifférente et elle n'est pas indifférente à cette réalité puisqu'elle a posé sur elle sa marque et sa signature. De là, elle éprouve un sentiment de compétence – elle est capable. Celui qui n'arrive pas à faire ressent plutôt profondément un sentiment d'impuissance, d'incapacité à maîtriser, d'inadéquacité entre lui et ses situations. Il devient indifférent à son milieu tout comme souvent il l'est face à lui-même.

> Paul a perdu tout l'élan et le zeste qui pendant si longtemps avaient été auprès de ses amis, sa marque de commerce. Il initiait des projets et il travaillait d'arrache-pied pour les mettre au monde. Et là, il convoquait les autres à venir admirer son travail. Aujourd'hui, il constate que tout le passé, toutes ses œuvres et tous ses travaux se sont effondrés ; du moins, ils n'ont plus de sens pour lui : « À quoi ça sert ? » se dit-il « tout cela est tellement inutile ! » Pourtant, il sait qu'il laisse en plan quelque chose – que tout ne s'explique pas seulement par ce. De là, une nouvelle attitude se développe en lui, celle de l'action – expression de lui-même.

Les arrêts nécessaires

Si l'être humain est condamné à agir pour continuer – pour se continuer et continuer la vie autour de lui – il n'est pas indifférent au fait qu'à certains moments de la vie, l'action s'arrête et la conduite piétine. Ces arrêts font du sens. Ils permettent de s'arrêter pour retrouver un sens à ses agirs. Cet arrêt permet effectivement à la personne de cesser une continuation de la vie qui ne lui est plus appropriée et le plus souvent elle doit alors la changer pour que ses actions ne deviennent pas le produit d'un automatisme dénué de sens.

Ces arrêts sont importants. Quand ils surviennent, ils bouleversent et mobilisent la vie intérieure par une recrudescence des réflexions et des pensées sur soi-même et sur la vie. Ils ne doivent pourtant pas s'éterniser. Lorsque la vie intérieure ne suffit plus à nous stimuler, nous avons tout avantage à nous tourner vers le monde et la vie à l'extérieur de nous, à l'écouter et à l'accueillir pour retrouver et reprendre notre vitalité et redevenir en goût de vivre. Si cette attitude redémarre souvent la vitalité intérieure, c'est surtout parce que, à travers cette attitude, la personne retrouve en elle – la vie – ce qu'elle savoure à l'extérieur d'elle – la vie. Ce regard porté sur l'extérieur n'est pas une défaite de la vie intérieure – c'est tout simplement un changement de rythme[49].

Pour faciliter ce nouveau rythme, il importe d'accepter et de mettre en force l'effort nécessaire pour poser et installer dans l'extérieur des ingrédients stimulants. Il y a donc effort à faire et énergie à actualiser pour qu'adviennent l'harmonie, l'ordre et la beauté qui plaisent au regard ou au cœur.

> En ce samedi après-midi un peu gris, Jocelyne ressent des pointes d'ennui. Que pourrait-elle bien faire d'elle-même ? Elle pense alors à cette musique qu'elle aimerait bien écouter et à ce livre qu'elle aimerait bien lire. Décidée, elle enfile son manteau et malgré la grisaille de la température, elle se rend chez le disquaire, et chez le libraire, se procurer ces sources de plaisir. Revenue à son appartement, toute contente, elle déballe avec satisfaction son disque – savoure la musique. Puis, elle s'installe dans son bon fauteuil et elle attaque son livre neuf. Elle est toute pleine de goût de lire et fière de s'être donnée cette vie.

Pour que l'effort de l'agir s'accomplisse avec plus de facilité, il importe de donner un *momentum* au premier effort qui engagera les autres – ce qui implique un jeu d'équilibre entre l'ouverture de la conscience intérieure, de la perception par le cœur, et la stimulation par le monde extérieur : la belle musique entendue, la belle nature contemplée, l'expérience esthétique ressentie. Une fois perçu, l'extérieur stimule et engendre d'autres actions.

---

49. Le rythme de la vitalité, comme le rythme de la respiration : l'inspiration et l'expiration – l'intérieur et l'extérieur ; les deux sont nécessaires à la continuité de la respiration.

Depuis que Louis a repeint son salon et qu'il s'est acheté des meubles neufs, il a le goût de redécorer sa cuisine. Le plaisir qu'il ressent à contempler et à habiter son salon lui donne le goût de se sentir aussi dans la beauté lorsqu'il prépare ses repas et qu'il mange. L'énergie qu'il doit mettre pour décorer sa cuisine est sur le bout de ses lèvres chaque fois qu'il est bien dans son salon.

L'effort nécessaire pour remplir son milieu et sa situation de belles choses et de bonne choses à savourer entraîne la vie intérieure qui elle à son tour entraîne et interagit avec le milieu dans un rebondissement harmonieux de l'un sur l'autre. Certains ne comptent que sur leur vie intérieure pour se sentir vivant mais à trop vouloir que seule la vie intérieure importe la personne arrive à négliger l'effort pour embellir et pour harmoniser son milieu extérieur[50]. Il s'agit en fait de mordre dans la réalité et d'y remordre encore et à volonté en créant ainsi son plaisir, sa satisfaction, sa vie et alors bien sûr, son goût de vivre.

Polariser et investir

Chaque personne doit polariser l'extérieur. Polariser, c'est investir – l'investissement personnel, émotif

---

50. À ne compter que sur le milieu extérieur et y investir toutes les énergies pour l'embellir, on peut oublier la vie intérieure. Alors, là on est pas plus avancé puisque pour être bien et vivant et pour que l'effort porte fruit, il faut qu'il y ait participation et de la vie intérieure et du milieu extérieur dans un espace commun : le coeur.

particulièrement, de la réalité extérieure. Pour polariser et investir, les caractéristiques réelles propres de la réalité extérieure comptent somme toute beaucoup moins que ce que la personne en fait, c'est-à-dire beaucoup moins que l'interaction entre la réalité objective et ce qu'est la personne : ce qu'elle pense, ce qu'elle désire, ce qu'elle ressent. C'est donc l'interaction entre la réalité objective et la personne subjective qui compte[51]. La personne doit donc s'impliquer pour s'intéresser à l'extérieur, pour se mettre en lien avec cette réalité en dehors d'elle. Elle doit en quelque sorte la faire sienne.

> Pierre examine du coin de l'œil ce livre sur la mort déposé depuis plus d'un mois sur le coin de son pupitre. Aujourd'hui, il pense à toutes les questions qu'il se pose sur la mort, sur sa mort. Sa pensée touche quelque chose en lui de plus émotif ; ce quelque chose se met en mouvement – il a hâte de lire ce livre sur la mort – il a le goût de lire. Il se lève, s'installe sur son divan et plonge avec avidité dans son livre.

À travers son effort pour fouiller la pensée de l'auteur, Pierre prend contact avec la qualité de la réflexion humaine et cela l'encourage à entretenir sa propre flamme intérieure – celle qui préside à sa créativité et au déploiement de son être et qui l'amène lui aussi à réfléchir, à exprimer et peut-être un jour à écrire ses réflexions sur la mort. Un effort en encourage

---

51. Voir chapitre 10 : La subjectivité.

d'autres. Un premier effort permet de ressentir un élan pour mettre au monde des choses – à les informer (les mettre en forme) par un souffle de vitalité parce que cela vaut la peine ou l'effort de les faire naître.

La finitude pour se continuer

Conscientiser sa mort pour se continuer comme vivant constitue un paradoxe tout à fait fondamental. Il faut d'abord ressentir réellement que notre vie est limitée et que nous allons un jour finir et mourir pour pouvoir réellement conscientiser aussi et en même temps l'importance de la vie. Il faut le faire suffisamment pour l'investir pleinement cette vie qui est la nôtre même si, ou plutôt parce que, elle est limitée et qu'elle a une fin.

Toucher au sens de sa mort pour vivre

Toucher au sens de sa mort, c'est peut-être la motivation la plus profonde et la plus importante pour se mettre en action. Tant que l'humain se croit immortel et sans fin, il peut remettre sans cesse son action. Quand par contre il prend conscience de sa mort, de la finitude de sa vie, il polarise sa vie et s'occupe plus sérieusement de sa continuité et alors il agit. Il ressent effectivement comme une poussée vers le geste et l'action – agir et faire pour prendre la vie, aller la chercher et la savourer plutôt que de geindre et de se plaindre que la vie n'est pas là, qu'elle ne vient pas ou qu'il n'y en a pas assez. Conscient d'être mortel et donc que sa vie aura une fin, il veut la vie. Avec tout le pouvoir de sa volonté, il veut prendre la vie partout où elle est et pendant qu'elle y est. Il cherche à bouger, à se rendre actif, à créer des gestes pour atteindre encore plus cette vie, sa vie, pendant qu'elle est là, présente.

> Louis revoit dans sa tête les visages de ceux et celles qui sont disparus : sa mère, son père, sa sœur et ses cousins. « Pour eux » se dit-il. Cette réflexion l'amène à vouloir pendant qu'il est encore temps se donner le plus de vie possible. Dorénavant, il ira vers les autres non pas en craignant leurs reproches mais en cherchant la vie en eux et en lui et surtout en ne gaspillant pas la vie ou l'élan vers elle par une préoccupation trop grande de lui-même. Il veut maintenant prendre la vie et la vitalité partout où elles se trouvent par son geste et son action. Ensuite, il s'installera par l'action et la conduite dans des situations stimulantes de vitalité. Ce qu'il peut faire, il le fera.

Le pétillement de vitalité qu'éveille la conscience de sa mort mène presque naturellement à l'agir, à la conduite créative. En effet, la conscience de sa mort efface toutes les petites peines et les petits soucis sur la « petite personne », le quelqu'un et les *faces* pour d'un seul coup nous donner notre vrai visage. Avec ce vrai visage, les choses se font. Tout se passe comme si la « petite personne » cesse de s'inquiéter de son paraître pour polariser son être et ensuite, son faire.

> Alain connaît toutes sortes de petites misères : maux de tête, maux de ventre, mal

à l'aise à son travail, se sent pas reconnu, incapable de se mobiliser pour changer quoique ce soit. Un jour une de ses grandes amies meurt d'un cancer du poumon. Après le choc, Alain se ressaisit : Il se mobilise enfin et laisse ce travail dans lequel il mourait à petit feu et trouve toute l'énergie dont il a besoin pour se dénicher un nouvel emploi. En deux semaines il a fait ce qu'il mijotait depuis deux ans.

Faire quelque chose nous continue et, d'une certaine façon, c'est une forme de victoire contre la mort – nous sommes moins mortels puisque nous nous continuons par le faire.

Agir, une défense contre l'angoisse de mort

Le faire peut servir de défense saine contre l'angoisse de mort qui réside en chaque être humain. Il peut également devenir une défense névrotique et alors ne pas servir au développement de la personne. L'idée de la mort s'intègre à l'idée de la vie si elle sert de stimulus à la vie. Autrement, elle peut très bien nuire plutôt qu'aider. L'éventualité de la mort peut effectivement éveiller chez certains une anxiété tellement intolérable que les défenses mobilisées contre elle deviennent extrêmes et alors néfastes pour le bien-être général d'une personne. Pour se défendre, certains s'emploient à nier la mort comme fin de la personne (de l'individu) en niant l'identité (le moi) pour noyer la personne dans une fusion avec la vie universelle qui elle ne meurt pas.

L'idée de la mort alors ne permet plus la vitalité de la personne puisque celle-ci n'existe plus comme individu. C'est une fuite de l'angoisse de la mort par la fusion à l'universel en tuant le particulier, l'individu et l'identité et leurs richesses pour l'humanité. D'autres tendent davantage à exagérer le faire et le travail. Par leur exagération du faire, ils pensent domestiquer l'angoisse et museler l'anxiété de leur propre mort. Ils exagèrent l'action et le travail afin de se donner un statut spécial. Ils croient devenir immortels par l'acharnement qu'ils mettent au travail. Si les autres peuvent mourir, eux vont demeurer, continuer puisqu'ils ne cessent de travailler — ils se croient différents des autres.

L'agir, une défense saine et appropriée contre l'angoisse de la mort peut rapidement devenir une défense névrotique si l'angoisse devient trop envahissante, intolérable, et alors il ne sert plus le développement de la personne mais le contraint et le freine.

Le faire qui suscite le faire

Pour trouver son rythme, l'action implique l'action — ce qui revient à dire que la personne se nourrissant de l'action faite, s'énergise pour l'action à faire. L'action provoque un effet d'entraînement. L'action amène à continuer d'autres actions. L'action déclenche l'action. Son effet d'entraînement est tel qu'un des meilleurs ingrédients pour agir ou pour faire est un autre agir, un autre faire. D'une certaine façon, le premier faire amène de l'eau au moulin. Le faire, c'est l'eau qui fait tourner le moulin. Le faire engage le mouvement, le maintient et favorise l'énergie de continuer.

> À son lever le samedi matin, Paule est devant toutes sortes de possibilités pour meubler sa journée : des emplettes, un tour à la campagne, du cinéma, le ménage de son appartement ? Elle ne sait pas vraiment ce qu'elle veut. Tout en sirotant café sur café, l'heure avance et elle est toujours aussi indécise. se dit-elle. Mais elle ne bouge pas et elle attend, comme si un goût immense de l'une ou de l'autre activité viendrait la bouger malgré elle. Rien à faire — le goût ne se présente toujours pas. Décidée à profiter de sa journée, elle se demande — Le début de son ménage engendre les autres actions comme en une séquence naturelle.

Si l'agir engendre ainsi l'agir, c'est parce que la personne qui agit perçoit l'effet de son agir sur la réalité. Par son agir, la réalité bouge et alors la personne ressent encore plus son pouvoir, son adéquacité et sa compétence à agir sur la réalité. Le spectacle du faire stimule à faire à nouveau. Il y a une rétroaction qui renforce l'élan vers d'autres actions[52]. Il y a synergie entre faire et goût de faire, intérêt pour agir.

---

52. On retrouve le même phénomène dans l'expression verbale. Celui qui exprime, exprime encore plus parce qu'il a exprimé — il est porté à continuer l'expression un peu comme le *momentum* de la pierre qui descend la colline. Le mouvement initié, il se déroule par lui-même.

Le jeu de la satisfaction

L'être humain n'est pas uniquement conduit par un besoin de rétablir l'équilibre entre l'excitation et la recherche d'un arrêt de cette excitation. Essentiellement créateur, l'humain n'est jamais rassasié par l'action faite comme s'il n'avait qu'à ressentir alors la satisfaction. Il ne peut pas se contenter simplement d'avoir fait. Au contraire, la satisfaction[53] engage à poursuivre l'action, à en initier de nouvelles. En somme, la contemplation de l'œuvre faite et la satisfaction d'avoir agi ou accompli interagissent et entraînent vers de nouvelles actions avec une nouvelle énergie.

> Vendredi après-midi, 4 heures, Marie vient de terminer sa semaine d'enseignement. Elle est contente de sa semaine, d'avoir participé à ce que ses élèves connaissent davantage, soient mieux préparés à vivre. Entièrement habitée par ces contentements, elle a hâte à sa fin de semaine pour préparer la semaine prochaine, pour ressentir le plaisir de se savoir utile à ses élèves. Maintenant elle téléphone au plombier pour réparer sa baignoire et puisqu'elle y est, elle en profite pour régler son problème d'assurance-vie. Son action d'avoir enseigné l'entraîne à ses téléphones et à ses goûts de l'avenir.

---

53. La satisfaction devient dynamique et perd le caractère passif que lui octroient certains penseurs.

La satisfaction d'avoir fait et le fait de ressentir cette satisfaction engendrent bien sûr de l'élan vers autre chose à faire mais aussi, ils permettent d'emmagasiner l'énergie – l'énergie de réserve qui pourra éventuellement être utilisée. En réalité, l'effort pour faire est maintenu malgré la fatigue et malgré le laisser-aller et malgré l'agacement de l'actualisation du faire si la personne ressent bien qu'elle aime et qu'elle apprécie l'action terminée, l'œuvre accomplie. Elle doit bien ressentir combien elle est satisfaite d'avoir fait et elle doit savourer le résultat de son effort. Il s'agit toujours et inlassablement de démarrer et de redémarrer l'effort pour initier à nouveau et encore, le geste et l'action. Chaque engagement à une toute petite action, faire un tout petit détail, est porteur d'énergie et d'une énergie qui circule, qui s'accumule et qui est somme toute au service de la vie et de sa continuité.

Le faire qui engendre de la beauté

Finalement, le faire qui engendre le faire peut également par cela engendrer d'autres qualités d'expérience, et peut-être particulièrement celle de la beauté (voir aussi le chapitre 12 : La beauté).

> Installé devant sa toile depuis un petit moment, Paul cherche dans sa tête comment il pourrait bien traduire l'impression qu'il a gardée de cet hiver. Il sait pourtant qu'il n'arrivera à rien sans commencer – sans que son hiver prenne forme et sans plusieurs imprécisions. Alors il commence. Il mélange ses

couleurs et dessine le premier trait : Finalement, il a fait le plus beau paysage d'hiver de toute sa collection. La beauté est née du faire.

Dans certaines conditions, le faire humain participe ou initie ou engendre de la beauté – une beauté qui suscite et qui suscitera chez la personne et chez ceux qui l'entourent, une expérience esthétique. Une réalité embellie par le faire est une réalité qui s'offre ensuite à la contemplation, par l'auteur de cette nouvelle harmonie mais à tous les autres aussi. Toute forme cherche à se compléter, à se terminer – c'est la potentialité qui crie pour l'actualisation. Ce qui est en gestation cherche à venir au monde et si la beauté arrive, c'est parce que le faire a complété la forme. En somme, d'une forme qui s'élabore et qui cherche l'existence, adviennent la réalisation et l'actualisation de cette forme et alors souvent, de la beauté. Suivent ensuite la satisfaction d'avoir donné naissance à une réalité et le goût de recommencer encore pour donner à nouveau naissance à d'autres formes, à d'autres réalités et à de la beauté. Sur l'avenue de l'esthétisme, il y a l'ordre et l'harmonie des choses à faire. Si la mise en ordre des choses principales par rapport aux choses secondaires est nécessaire, le départ toutefois ne s'effectue que justement parce que c'est un départ, qu'il doit y en avoir un et sans autre justification.

Les caractéristiques dynamiques du faire : volonté et identité

Entre le désir et l'action loge le vouloir, la volonté. La volonté sert à faire passer le désir dans l'action[54]. La volonté est la plus grande force pour contrer l'inertie, la mort et la fin. C'est un « je veux » qui malgré son apparente simplicité s'avère plutôt une force d'une très grande complexité. Ce « je veux » implique un « je peux » et un « je décide » de pouvoir : « je veux décider de pouvoir vouloir agir ». La boucle est bouclée.

Vouloir implique choisir, et perdre

Vouloir signifie s'engager et se mobiliser à une action. Si le vouloir n'impliquait pas cet engagement de soi-même, il serait beaucoup plus facile et la personne n'éprouverait pas cette lourdeur et cette pesanteur à décider. Or, pour chaque vouloir (« je veux »), il y a une perte. Pour chaque « oui » à quelque chose ou à quelqu'un, il y a un à quelque chose d'autre ou à quelqu'un d'autre. C'est justement à cause du, de l'abandon ou de la perte de quelqu'un ou de quelque chose que c'est le plus souvent difficile de vouloir. Dire à certaines de nos possibilités, limite nécessairement nos choix et cela est douloureux parce que plus nos possibilités et nos choix sont

---

54. Même si la valorisation du vouloir et de la volonté constitue plutôt une anicroche à l'esprit du temps, il n'en demeure pas moins que la volonté et son actualisation, le vouloir jouent un rôle de premier ordre dans le passage du désir à l'action.

limités, plus nous nous approchons de la mort – la mort étant ultimement le moment de la disparition de toutes les possibilités. La mort c'est l'impossibilité de possibilités.

> Jean hésite entre Marie et Louise, ses deux amies. S'il choisit le pétillant de Marie, il perd la sérénité de Louise et vice versa. Or, il ne veut rien perdre. Pourquoi est-il obligé de choisir et de décider, de se départir de l'une ou l'autre ? Puis se concentrant sur ses limites, il sait très bien qu'il ne peut prendre les deux, qu'il doit choisir et que cela résulte de ses limites humaines. Choisir et abandonner, prendre la joie de l'une et souffrir le deuil de perdre l'autre.

Vouloir, c'est se responsabiliser

En somme vouloir et décider, c'est se responsabiliser. C'est se rendre responsable de son présent, de son avenir, mais aussi de son passé. Ainsi celui qui s'avoue responsable de son avenir quant aux choix et aux décisions qu'il prendra et portera, se reconnaît aussi responsable de ses misères, de ses souffrances et de ses épreuves du passé – et c'est peut-être cela qui est somme toute le plus difficile. En effet, puisque nous sommes maintenant capables de choisir et de vouloir, nous devions aussi l'être dans le passé et qu'en avons-nous fait ?

> Mathieu se sent triste et mélancolique. Sa vie n'est plus satisfaisante. Il tente bien sûr de s'accrocher à des petites consolations

mais il sait qu'il ne s'agit que de bouées de sauvetage et qu'elles ne durent que le temps de les dégonfler. Il regarde sa vie jusqu'à maintenant et réalise combien il ne l'a pas vraiment choisie – plutôt il a choisi de faire plaisir aux autres et de ce choix fondamental, sa vie s'est déroulée. Pourtant, ses vrais désirs étaient là mais il les mettait de côté – pour s'aligner sur les attentes des autres : sa mère, son père, sa femme, ses enfants. Aujourd'hui à 50 ans, qu'est-ce qu'il désire vraiment de la vie ? Qu'est-ce que lui-même, pour lui-même, en lui-même désire ? Il éprouve beaucoup de difficulté à le savoir, à le préciser. Il a comme lentement éteint son propre radar. Ce dont il est assuré pourtant c'est qu'il veut la vie. se dit-il. De cette décision, il sait que lentement, il trouvera des moyens concrets pour transformer sa vie et se redonner cette vitalité.

Entre l'illusion et la réalité : la décision d'agir

Dans l'agir humain comme dans bien d'autres choses, les attentes illusoires abondent. Par exemple, on espère secrètement un pouvoir magique qui pourrait transformer instantanément la réalité ou encore plus une baguette magique qui donnerait à son possesseur et sans effort tout ce qu'il désire. Or, l'attente magique – celle d'un moment spécial, ou l'espoir d'une émotion et d'un élan irrésistible qui feraient disparaître la conscience de tous les petits détails désagréables et de tous les petits embêtements, eh bien, il n'en est rien. Il n'y a pas d'élan irrésistible. Il n'y a pas de baguette magique. Il n'y a que le vouloir agir et l'engagement. Devant les choses difficiles, les peurs, les efforts à faire, l'être humain se raconte de bien belles histoires. Évidemment cela lui permet de garder l'espérance mais dans la réalité, il doit accepter de se confronter aux limites de sa condition existentielle.

Pour mener son « faire » à l'existence, l'être humain doit suivre les étapes de tout ce qui s'actualise, de tout ce qui vient au monde et il ne peut le faire qu'en conscientisant sa condition humaine, les données de son existence, ses limites et sa finitude. À la première étape, le désir de faire, d'agir, se précise et se débarrasse des impossibilités par la confrontation avec les données de la réalité. Le désir devient une décision d'agir. Vient ensuite l'étape du plan de passage de la décision à l'action terminée. Les étapes initiales, intermédiaires et finales du plan, si elles sont bien conceptualisées et hiérarchisées, évitent à la personne de se décourager pendant l'exécution parce qu'elle est tout habitée par l'image de l'action terminée. Un échéancier doit encadrer chacune des étapes, et les moyens pour atteindre chacun des différents objectifs doivent être identifiés. Planifier ainsi s'inscrit dans une séquence de rythmes avec l'alternance nécessaire de périodes d'effort et de périodes de repos, l'alternance de temps pour la spontanéité et de temps pour le travail de raffinement et de précision. Finalement, pour faciliter la mise-au-monde du « faire », les qualités émotives propres à chaque étape et à chaque type de travail doivent être conscientisées.

À l'origine : le désir

La personne doit être consciente des émotions dont elle aura besoin pour passer au travers ces étapes et ces travaux. Lui seront par exemple nécessaires des qualités comme la patience, la détermination, l'acceptation du malaise inévitable lié à l'initiation de l'effort et l'humilité devant les tâches ordinaires. Pour maintenir sa motivation, la personne doit aussi souvent se contacter le désir, son désir, à la source de la décision tout en se consacrant à chacune de ses tâches. Ce désir c'est le ressort de son faire. Désirer, c'est l'immense avantage de la personne humaine pour réaliser sa vie – porter son désir au cœur comme un trésor de vie afin que la décision advienne.

Par son désir – ressort de son faire et source de son vouloir – la personne plonge dans l'action ou dans la conduite. Cette plongée tout de go coupe l'inertie et met la personne en action, à la limite juste pour la valeur ou le plaisir de s'y mettre. Par contre, lorsque la personne tergiverse, hésite ou attend passivement que le temps de s'y mettre vienne de lui-même, un peu comme si quelque chose de spécial allait venir éviter ou empêcher la misère de l'effort ou l'embêtement de la fatigue de vouloir – effort et d'une certaine façon fatigue nécessaire pour que l'action s'actualise. La personne alors n'agit pas et n'agira pas non plus. Rien ne peut venir d'ailleurs que de son désir, de son vouloir et de sa décision – et avec cela, la misère et l'embêtement de l'effort.

> Philippe attend que le goût de nettoyer son sous-sol vienne de lui-même. Il croit qu'un jour viendra où n'ayant plus d'autres choses à faire, il ressentira soudainement un intérêt irrésistible à faire le ménage de son sous-sol. Passivement, comme s'il n'était que l'objet de son goût de faire, il attend. Mais un jour il décide de faire son goût. Il accepte l'effort (la difficulté, la pesanteur à prendre et à digérer) et lentement le goût est venu. Son goût était là mais comme prisonnier de son attente et de sa passivité.

Le vouloir est un pouvoir

L'attente d'un vent favorable plutôt que l'affrontement des obstacles, des résistances et des arrêts ne peut conduire une personne qu'à stagner sur place. La personne ressent et mobilise beaucoup plus d'énergie quand elle accepte de confronter les obstacles, d'affronter les résistances et de défaire les freins à l'agir. Trop souvent la personne n'ose pas démarrer parce qu'elle ne croit pas ou pas assez au pouvoir de son vouloir. Ce qui rend possible l'acceptation de la misère de l'effort pour faire naître l'action, c'est de ressentir que son vouloir est un pouvoir. Ressentir son pouvoir fonde aussi tout le reste.

> Louis n'arrive pas à démarrer son travail de session. Il se demande : « Comment arriver

à me discipliner pour écrire ce travail, pour réussir à terminer cette session pour passer ensuite à autre chose. Je sais que j'ai à mettre et à accepter de mettre du temps pour l'écrire, que j'ai à me concentrer sur ce que j'ai à écrire, que j'ai en même temps à écouter ma créativité palpitante et débordante pour enfin compléter les études que j'ai entreprises ». Il continue.

Le courage nécessaire au vouloir implique donc aussi le courage de pouvoir. Le courage de pouvoir est à la source de tous les pouvoirs que s'accorde la personne et il se fonde – comme pour couper la force de l'inertie – sur le *malgré* : maintenir malgré…. continuer même si… ne pas abandonner malgré… Cette intégration du malgré dans le pouvoir est tout aussi importante que la nourriture l'est pour le corps. Quelle que soit la force de la résistance ou quelle que soit l'adhérence du frein, le *malgré* doit être intégré au pouvoir.

Philippe ne veut plus fumer et il est bien décidé, il veut cesser complètement de fumer. Il ne se ménage pas et il choisit la cure sèche – pas de tabac, pas de nicotine. Dire non à l'appel du plaisir de fumer avec toute cette détermination du *non* et malgré la souffrance dans le creux de l'estomac. Il se sent si seul pour dire *non*; si seul, si incompris et pourtant il sait la nécessité de le dire parce qu'il a *voulu* et qu'il a décidé de le dire. Un jour, il voudrait aussi faire partager aux autres cette force et ce pouvoir mais présentement il n'a qu'une idée en tête : durer et maintenir le non, le . Le faire malgré tout – tout ce qui de l'extérieur sollicite le contraire : le monde, les annonces… toutes ces cigarettes qui n'attendent que d'être fumées et qu'il voit partout, grosses, dodues et si appétissantes. Mais, il se dit : *non*. Et tout ce pouvoir lui vient de l'intérieur, de cette vie du cœur, de la tête, de l'esprit – de sa propre vie.

L'identité : l'état fondamental d'être seul et séparé

La solitude est souvent nécessaire pour pouvoir mener à terme la lutte contre nos mauvaises habitudes. Les gens que la personne aime, ceux et celles qui sont proches d'elles, peuvent effectivement souvent être ou devenir nuisibles à l'effort de vouloir. La personne doit vaincre parfois malgré eux et malgré ses habitudes avec eux. Tout ce réseau d'habitudes et de plis de vivre avec les autres dans lequel baignaient ses mauvaises habitudes doit aussi être confronté et dépassé. Pour que le pouvoir obtienne toute sa force et que le vouloir *malgré* ne flanche pas, c'est la vie avec elle-même, la vie intrapersonnelle qui doit obtenir priorité.

L'identité joue un rôle primordial dans le contrat qu'une personne établit avec la vie, c'est-à-dire dans sa manière particulière de composer avec le faire ou l'action. L'identité reste essentiellement la conception qu'une personne se fait d'elle-même. Or ce que nous sommes le plus souvent portés à oublier quand il s'agit de notre identité, c'est notre état fondamental d'être séparé – en d'autres mots, le fait indéniable de notre solitude.

L'être humain comme individu malgré tous ses dénis, ses fantasmes et ses rêves n'en demeure pas moins seul et séparé des autres. Bien sûr il est lié aux autres, il peut interagir avec les autres et même il s'énergise par cette interaction, mais au fond il est seul, fondamentalement seul, seul pour vivre et seul pour mourir. L'état d'être séparé est indéniable comme donnée existentielle et pourtant c'est la plus négligée dans la conception qu'une personne se fait d'elle-même. Indéniable mais nous la nions quand même ou du moins la négligeons ou tentons de l'oublier.

L'oubli ou la négligence par rapport à l'état fondamental d'être séparé entraîne cependant des conséquences néfastes quant au contrat qu'une personne établit avec la vie et avec l'agir. Cette personne risque fortement de croire que d'une certaine façon et en quelque part, une autre personne – ou un *sauveur* ou une *mère substitut* – viendra faire et agir à sa place. Cette croyance qui veut que quelqu'un d'autre agisse, termine ou complète à notre place est présente à divers degrés chez plusieurs[55]. Chaque personne doit parvenir à s'en détacher pour assumer sa solitude et sa propre responsabilité mais en même temps chacune doit également réussir à l'intégrer en elle comme partie prenante de sa mythologie du social.

Paul attend que Benoîte fasse à sa place la vaisselle. Il souhaite qu'elle lise dans sa tête à lui son désir de voir la vaisselle faite et la cuisine rangée. Il n'aime pas voir ces assiettes sales et ces tasses empilées. Il aimerait voir un comptoir bien propre mais il attend. Puis il réalise que fondamentalement, il est séparé de Benoîte, qu'il n'y a pas d'osmose de pensée entre lui et elle. Elle ne peut pas être ou faire à sa place. Elle n'est pas un prolongement de lui-même. Puis conscient qu'il est séparé et seul et malgré son attente que Benoîte initie et fasse la vaisselle, il réalise qu'il importe de se lever, de commencer, de grouiller son inertie. Il n'y a pas d'espoir du côté de l'attente magique de Benoîte, prolongement de lui-même – tout au plus une insatisfaction de ne pas avoir fait la vaisselle, si Benoîte s'avisait comme ça d'elle-même de faire la vaisselle.

C'est pas facile pour une personne de prendre, d'accepter et d'assumer son état de séparé des autres, son état de solitude. Pour naître, vivre et mourir, l'être humain est seul. Il ne peut pas fuir cette réalité ; il ne peut que la déformer ou la dénaturer mais s'il y parvient ce ne pourra être qu'au prix de son authenticité de vivre.

---

55. C'est une croyance qui résulte du primitif de l'humain, c'est-à-dire de cette partie de lui-même qui vient et loge dans l'inconscient, qui sert le collectif et l'espèce humaine et qui fait tendre la personne vers la socialisation et les besoins de la société, des individus de sa communauté.

Dans son contrat avec l'existence, comme dans la responsabilité qu'il peut prendre pour conduire et se donner sa vie, c'est la conscience d'être seul qui stimule sans cesse l'être humain au faire et à l'agir. La vie, il se la donne par lui-même, par et à travers son action et son faire.

> Toute sa vie, France a attendu qu'on s'occupe d'elle, qu'on lui donne une réponse à ses besoins, qu'on l'instruise, qu'on la marie, qu'on lui fasse l'amour... Or, il s'est toujours trouvé quelqu'un pour lui dire ce qu'elle devait penser, ce qu'elle devait dire, ce qu'elle devait choisir. Même si plusieurs de ses besoins étaient ainsi remplis avec plus ou moins de justesse, il en est résulté tout un style de vie axé sur l'attente qu'un autre ou les autres s'occupent d'elle, la rendent heureuse et satisfaite. Pourtant, après 40 années de cette vie, France était encore insatisfaite et encore en attente. Divorcée et sans travail, elle attendait ne sachant même plus ce qu'elle voulait exactement. Même que d'une certaine façon, elle croyait que ce vouloir lui viendrait d'ailleurs. Quelqu'un quelque part lui inspirerait sûrement ce qu'elle devait vouloir et lui aiderait bien à agir ce vouloir en la secondant dans la mise-au-monde de ses actions. Le décès de sa mère l'a plongée dans un grand désespoir – sa mère disparaissait, l'abandonnait seule à elle-même alors que toute sa vie, c'était sa mère qui avait comblé tant de ses besoins.

Ce n'est que très lentement qu'elle a pu réaliser que le décès de sa mère ne créait pas sa solitude mais l'amenait plutôt et seulement à prendre conscience de sa solitude, de son état d'être séparé. Elle réalisait que elle aussi, France, était de cette espèce qui meurt – il n'y avait pas de privilège pour ceux de son sang, sa famille. Elle allait elle aussi un jour mourir et elle serait seule pour mourir tout comme elle était seule pour vivre, seule pour trouver une réponse à ses besoins, seule pour faire sa vie, seule pour tenter d'être satisfaite et contente.

Risquer le déséquilibre du changement

Pour agir la personne doit prendre conscience de sa solitude fondamentale, ce qui implique en particulier d'accepter de laisser aller l'état de sécurité qu'accorde l'inertie ou l'action qui relève de la responsabilité d'un autre ou des autres. Agir et agir seul provoquent nécessairement une brisure dans la sécurité et l'équilibre du connu pour placer l'agissant face à l'inconnu et au déséquilibre qu'il crée. Avant l'action, la personne est sécure, équilibrée et stable ; après l'action, elle risque de ne plus l'être, de ne plus se reconnaître, elle ou son milieu. Elle ne sera plus la même parce que son action la transforme elle-même comme elle transforme aussi son milieu et l'interaction jusqu'alors connue entre elle et son milieu. Or bien sûr, perdre ainsi la sécurité du connu, nos repères habituels, et plonger dans le déséquilibre créé par la mise-au-monde de l'agir ne s'effectuent pas sans étourdissement et sans éveiller peurs et inquiétudes. C'est inévitable parce que agir implique risquer. Risquer sa stabilité sans être assuré à l'avance et certain de ce qui nous attend. Risquer et perdre le terrain connu et sécure pour choisir l'inquiétude du passage vers le nouveau et le différent. Mais répéter le risque, c'est aussi l'apprivoiser. C'est faire en sorte que de réessayer à nouveau permette éventuellement d'engager le risque plus facilement et jusqu'à temps que le goût de l'action émerge simplement et avec lui, l'ouverture et la transformation de la réalité. C'est de la constatation de cette transformation que surgit finalement le goût de continuer à agir, qui est lui-même en fait une partie du goût de vivre.

Certains, plus insécures que d'autres, ressentent le risque inhérent au changement qu'apporte l'agir comme un risque pas prenable parce que trop angoissant et déstabilisant. Ceux-là cherchent la stabilité à tout prix et l'absence de mouvement. C'est également ceux-là qui le plus souvent attendent cet autre symbolique, un *sauveur*, qui saurait les maintenir dans la sécurité et la stabilité. Tout se passe comme si pour eux l'autre devait prendre l'insécurité et le déséquilibre pour à leur place risquer l'action et pour alors changer, encore une fois à leur place, leur propre relation au monde. Si l'autre prend le risque, la personne peut demeurer bien au chaud avec elle-même et s'arroger en plus le droit de se plaindre si la vie ne lui est pas donnée comme elle le voudrait – ce qui est plus souvent qu'autrement le cas.

Paul et Marie sont en voyage en auto-stop. Parvenus à un relais particulièrement difficile pour obtenir une autre randonnée, Marie est épuisée et s'abrite sous un pont à l'ombre. Paul reste bien posté au soleil et demande à Marie de le rejoindre pour faciliter leur chance d'arrêter une voiture étant donné qu'ils seront beaucoup plus visibles en plein soleil. Marie hésite : . Puis elle se ravise et rejoint Paul en se disant que si cette place au soleil ne favorise pas l'arrêt d'une voiture, elle pourra toujours se plaindre que la faute en revient à Paul puisque après tout, c'est lui qui en a eu l'idée et elle se sentira alors moins déçue si elle attend en vain.

Le contrat avec la vie c'est donc essentiellement faire – faire, agir, réaliser, créer et vivre sa vie. Faire c'est briser l'inertie fondamentale pour se passer-au-monde et pour se prolonger. Faire c'est aussi se rendre adéquat par rapport à son milieu, se continuer et créer de la beauté. Faire c'est finalement se rendre responsable. C'est prendre sa vie en main et se responsabiliser sans cesse parce que nous savons et acceptons notre solitude fondamentale. C'est concrètement chercher par tous les moyens mis à notre disposition les meilleures actions à entreprendre, s'engager dans l'action et la compléter. En découle un sentiment de pouvoir sur sa vie qui, lui, stimule particulièrement le goût de vivre. À la base de ce pouvoir réside la satisfaction de soi. Satisfaite d'elle-même, la personne est stimulée par et vers l'action. Parce qu'elle est satisfaite et contente d'elle, la personne agit et elle a le goût d'agir ; pas contente et insatisfaite d'elle, elle perd le goût d'agir, échappe à l'essence même de son contrat avec la vie, et la plupart du temps, elle perd aussi une bonne partie de son intérêt à vivre.

CHAPITRE 10

La subjectivité

La subjectivité est une source puissante de goût de vivre qui prend ses racines dans le monde intraperson-nel. Être subjectif, c'est une façon de se donner du goût de vivre.

Être subjectif, c'est vivre en se guidant et en se référant à sa vie intérieure. Être subjectif, c'est être sujet de sa vie, ce qui s'oppose spontanément à être un objet de soi-même et conséquemment ce qui s'oppose aussi à se traiter comme un objet.

Par son appréhension consciente, la personne sub-jective transforme toute réalité, la sienne propre et celle à l'extérieur d'elle-même[56]. Entre le sujet et l'objet, c'est-à-dire entre la personne elle-même et la réalité, il y a interrelation plutôt qu'opposition. La personne est sub-jective et elle se donne du goût de vivre quand la relation

---

56. La subjectivité n'est problématique que lorsqu'un individu tente d'imposer aux autres sa vision subjective de la réalité. Toute per-sonne voudrait bien et avec raison être perçue et traitée objecti-vement, c'est-à-dire comme elle est ou plutôt comme elle-même se perçoit subjectivement. Mais si elle est le moindrement perspica-ce, elle sait très bien qu'elle ne pourra pas être considérée autrement que subjectivement par toute autre personne, que cette autre personne soit de bonne volonté ou pas.

sujet-objet se vit dans un climat d'échange réciproque à l'intérieur duquel les deux se fécondent mutuellement.

LA NOTION DE SUBJECTIVITÉ :
ÊTRE SUJET, C'EST ÊTRE VIVANT

Un processus de vie

Notre nature humaine de vivant, la plus vraie et la plus personnelle, n'a pas de contenus, d'objets : elle est conscience pure, subjectivité pure. Le cœur de notre vie se nourrit et se vit par le contact avec soi, dans la subjectivité. Si nous nous défaisons de nos compulsions à nous vivre exclusivement comme objets de nous-mêmes[57], nous permettons la venue du pouvoir créateur de notre subjectivité. Un être humain, c'est la vie qui prend la forme et le contenu humains. Ce que nous sommes donc fondamentalement, c'est des êtres dont le propre est d'être vivant. Et cette vitalité née de la subjectivité est à protéger, à encourager et à développer.

Cette vitalité importante et intrinsèque à la nature de l'être humain est tout de même souvent éclipsée ou

---

57. Signifie nous traiter comme si nous n'avions pas de principe intégrateur – comme d'ailleurs nous traitons nos choses (nos maisons, nos automobiles, etc.). Nous les entretenons ou nous les faisons réparer comme si elles étaient séparées de nous-mêmes et cela est bien. Lorsque nous nous traitons nous-mêmes comme ces objets, ces choses – nous évacuons notre appartenance à nous-mêmes pour n'être que le reflet de nos sens, que l'image que nous laissons aux autres, etc.

simplement perdue derrière une propension trop grande à nous identifier comme objets de nous-mêmes, à nos images, à nos faces. Lorsque cette vitalité est ainsi sacrifiée à l'objectivation, elle doit être retrouvée sans quoi la personne se voit vivre comme en dehors de sa nature même. Or, retrouver ou avoir ou ré-avoir cette vitalité, doit passer par la « subjectivisation » de la personne, c'est-à-dire que la personne doit reprendre et garder contact avec sa subjectivité. Par exemple, lorsqu'un être humain réalise que les images qu'il s'est donné et qu'il entretient sont trop lourdes et ont tendance à l'écraser sous leurs poids, c'est un bon indice que sa subjectivité est disparue ou à tout le moins, grandement affaiblie – il n'*est* plus, il *a* des faces. Il est alors plus que temps de réagir, c'est-à-dire chercher à se défaire et à se désister de ces définitions objectives de soi-même ou à tout le moins les dégager et les décoincer de l'identité globale. Cet effort doit persister jusqu'à ce que la subjectivité vivante et vitale reprenne la place qui lui revient.

> Après avoir connu des succès et des échecs, des misères et des joies et cela pendant de longues années de vie, Luc s'arrête devant le chemin de vie qu'il a parcouru et surtout sur celui qui lui reste à parcourir : que veut-il pour l'avenir ? quelle sorte de vie veut-il se donner ? comment aimerait-il vivre son travail, ses relations avec les autres, son corps ? Il aimerait ressentir une plus grande fraîcheur de vivre, un appétit pour des expériences neuves, pour la découverte de

nouvelles facettes de la vie. Il voudrait aimer se lever le matin pour ressentir la richesse de ses journées tout comme c'était dans sa jeunesse. Ses rencontres avec les gens, il les voudrait stimulantes. Mais à chaque formulation de ses désirs pour une vie différente, il s'entend dire : . Pourtant, s'il cessait de se représenter comme il le fait, s'il commençait par croire plus à ses capacités de réaliser ses désirs, s'il se défaisait de ses corsets du bon vieux temps et s'il laissait aller les avantages (les reconnaissances, ses réputations) d'être le même qu'avant, il arriverait bien à trouver cette fraîcheur de vivre – de vivre ce qui lui reste à vivre sans sacrifier sa subjectivité – cette subjectivité qui lui donne du goût de vivre.

Pour être sujet de sa vie, deux choses essentielles : *d'abord*, réduire son identification avec les objets de soi-même, ses rôles, ses carapaces, ses qualités ou ses défauts ; *ensuite*, être toujours plus conscient que sa vraie nature, sa vraie identité est d'être un processus de la vie, une pure subjectivité. Tout ce que nous faisons, tout ce que nous ressentons, tout ce que nous connaissons et bref, tout ce que nous sommes passe nécessairement par notre subjectivité et en prend les couleurs.

Une source de goût de vivre

Ce qu'il importe de connaître pleinement et de se rappeler sans cesse, c'est qu'en installant la priorité sur la subjectivité de notre vie, nous maintenons ou nous développons notre goût de vivre. Chacun sait cependant qu'un jour ou l'autre au cours de sa vie, il a perdu, il perd ou perdra contact avec ce sixième sens en lui qu'on appelle la subjectivité ou le coin du Je[58]. Nous le sacrifions trop souvent au profit de nous conformer, de ressembler aux autres, ou même sous prétexte de construire le principe de la réalité[59] : ce sont toutes de bonnes excuses pour finalement étouffer ou perdre notre subjectivité. Et avec cette perte se glisse de larges pans de notre goût de vivre et une bonne partie de notre vitalité. Parce que retrouver ce sixième sens qu'est notre subjectivité et s'en servir pour nous conduire dans la vie, c'est aussi se mettre en goût de vivre, se vitaliser.

> Dans le métro qui la conduit à son bureau, Suzanne, psychologue, regarde tous ces gens qui comme elle se rendent à leur travail. Depuis 20 ans, combien d'heures a-t-elle consacrées à écouter ses clients et clientes de toute profession, de tout métier ? Toutes ces personnes qui cherchaient

---

58. La conscience de soi-même est faite du Je (principe moteur, sujet, celui qui se regarde) et des sois (les objets, ce qui est regardé de soi par soi-même). Dans le développement harmonieux, la représentation de soi-même (le concept de soi) est faite du Je qui préside et illumine les sois et des sois. Tant les sois que le Je sont nécessaires mais le Je, le principe intégrateur des sois, doit avoir préséance dans la conscience. Si le Je est trop faible, la conscience devient sur-conscience, c'est-à-dire une conscience trop grande de ses sois et elle va alors à l'encontre de la conscience ; elle nuit à la conscience de vivre, en bloquant la spontanéité et la subjectivité (voir aussi Bugental, 1965, 1976).

profondément en elles-mêmes des chemins pour sortir de leur misère et de leur souffrance, pour se donner le courage de vivre mieux. Graduellement elle est arrivée à la conclusion que ce que tous ces gens voulaient, que leur préoccupation la plus profonde s'enracinait pour chacun dans leur goût de la vie, leur désir d'être vivant. Tout comme ces gens qui l'entourent dans le métro, son plus profond désir ce matin, c'est de vivre et de vivre mieux.

Tout être humain se sait vivant et cherche à l'être encore plus parce qu'il sait que trop souvent il ne l'est pas assez comme il le voudrait ou comme il le pourrait. Pourtant, et c'est là une des tragédies humaines, les personnes laissent aller et négligent les opportunités de se vivre plus pleinement, par exemple celle de se placer comme sujet de leur vie, comme être subjectif. À la question la réponse ne loge pas à l'extérieur de nous – elle est là, au centre de nous-mêmes, au cœur de nos besoins et de nos désirs, dans notre subjectivité. S'ouvrir à cette subjectivité et l'écouter avec plus de précision et plus pleinement rendent possible la conduite de

---

59. Être subjectif ne s'oppose pas nécessairement à donner de la place dans notre perception et notre conduite au principe de la réalité. On peut très bien rester en contact avec le principe de la réalité tout en étant des êtres subjectifs. Ce que nous soulevons ici c'est le prétexte de l'usage du principe de la réalité pour refuser à la personne son droit fondamental à être subjectif.

notre vie avec plus de satisfaction. Nous faisons trop peu confiance à notre subjectivité.

Une vitalité presque indéfinissable et souvent négligée

Ce n'est pas facile de traduire dans un texte ou par des mots le vif sentiment de bien-être que l'on ressent quand on se tourne de notre côté et que l'on choisit d'être sujet de notre vie. Nous tentons d'approcher cette dimension humaine par des analogies, des périphrases, des exemples. Tous nous pouvons ressentir la vitalité qui nous habite à certains moments et la morbidité, la mort, qui tire sur nous à d'autres moments. Nous ne pouvons pas répondre avec plus de clarté à la question : qu'est-ce que ça signifie être vivant et avoir toute la plénitude de sa vitalité ? Nous n'avons pas de langage pour traduire avec plus de précision cette vitalité. Tout au plus pouvons-nous proposer une définition que nous souhaitons la plus claire et nette possible. Être sujet de soi-même, c'est être soi-même le radar de ses conduites et de ses émotions ; c'est puiser en nous l'énergie et trouver en nous le sens de ce que nous vivons ; c'est bien sûr s'écouter, se sentir et se diriger soi-même et à partir d'un cadre interne plutôt qu'externe de références – ce qui dans l'ensemble implique qu'à sa base et dans son fondement la personne humaine est saine et digne de confiance, ce qu'est majestueusement tout être humain, dans son être et son humanité.

Georges se sent souvent étranger à lui-même, étranger et vide d'intériorité. Il est désemparé lorsqu'on s'informe de lui et qu'on lui demande comment il se sent – il n'ose pas répondre ne voulant pas qu'on découvre son néant, son vide intérieur. À certains moments, quand il est seul et qu'il prend conscience de son vide, il est rempli de tristesse à la vue du pauvre automate qu'il est devenu. Il sait par contre que ces courts moments de sa vie lui sont salutaires parce qu'il se dit que s'il peut ainsi ressentir de la tristesse peut-être n'est-il pas si vide après tout. Lentement, il arrive à se donner de plus en plus ces moments avec lui-même et tout aussi lentement il découvre en lui tout le terrain laissé en jachère, en friche, et qui ne demande pas mieux que d'être entretenu – ce coin de son propre radar.

En réalité, la subjectivité nous permet de vivre plus et l'expérience humaine nous montre que ce que les humains veulent, ce qu'ils désirent fondamentalement, c'est justement d'avoir plus de vie – plus de vie et moins de mort, d'être plus vivant et plus vivifiant. Les êtres humains veulent avant tout vivre parce qu'ils savent aussi très bien qu'un jour ils vont mourir. Donc, pour vivre et vivre plus, il faut être subjectif : nous écouter et nous entendre plus pour connaître les directions à suivre et les comportements à adopter[60]. Pourtant, nous demeurons trop souvent portés dans la réalité quotidienne à nous handicaper nous-mêmes en négligeant

notre subjectivité – ce sixième sens, cette vision intérieure – par laquelle nous sommes conscients de la dis-
parité entre ce que nous sommes vraiment, notre vraie
nature, et ce que nous exprimons, ce que nous
paraissons ; entre ce que nous voulons vraiment et ce
que nous mettons au monde.

> Chaque fois que je siffle un air connu, je sais
> spontanément les endroits où je fausse
> parce que ma mémoire de la mélodie flan-
> che. Je sais cela parce que je me fie à moi
> et à mon sens de cet air connu. Me fiant à
> moi, je perçois la disparité entre la vraie mé-
> lodie et ce que je siffle. Il en est ainsi de ma
> vie : je sais spontanément quand je ne suis
> pas en harmonie avec moi-même, avec ce
> que je suis vraiment lorsque je m'écoute
> vraiment. Il arrive trop souvent hélas que je
> fais comme si je n'avais pas « entendu »
> mes infidélités, mes distorsions du naturel
> harmonieux. Mais je sais que je sais et je
> n'arrive jamais tout à fait à l'oublier. Heureu-
> sement d'ailleurs même si ça peut faire mal !

Nous négligeons notre subjectivité chaque fois
qu'au lieu de ressentir l'expérience immédiate comme
nous la ressentons spontanément, nous nous analysons

---

60. Il n'y a finalement rien de plus déchirant que de prendre conscience de notre négligence à vivre – d'avoir vécu tant d'années en dehors de notre subjectivité, à l'extérieur de nous-mêmes, ailleurs
parce que dans les attentes des autres, dans les mascarades,
dans des faces qu'on a peur de perdre.

« objectivement » ; chaque fois que nous étiquetons nos expériences avec des concepts plutôt que de les ressentir immédiatement et par le cœur. Prenons l'exemple de la perception visuelle. Lorsque je regarde les couleurs de l'automne – rouge, jaune, orangé, vert – et que j'éprouve du plaisir à les regarder, à les regarder encore et plus, je n'ai pas besoin de déduire mon expérience de l'analyse logique – ce qui serait par exemple me dire que puisqu'il y a plusieurs couleurs et entre le bleu du ciel et elles comme entre elles des contrastes, c'est l'automne, je vis une expérience esthétique et c'est beau ! Non, l'expérience esthétique du est au contraire immédiate et spontanée. Nous nous traitons malheureusement souvent de la première façon, c'est-à-dire par la logique objectivante au détriment d'une subjectivité saine[61] construite à partir du ressenti.

Un guide et un radar

Notre subjectivité nous guide. C'est le meilleur radar que nous puissions posséder parce qu'il est particulièrement équipé pour faire la synthèse d'un ensemble de données : des sensations, des imaginations, des anticipations, des souvenirs… À partir de toutes ces données, la conscience subjective synthétise et nous montre une direction.

---

61. Une subjectivité saine est une subjectivité qui a sa place dans son rapport à la réalité objective et logique – sa place : pas plus, mais pas moins non plus.

Lorsque *je* m'écoute vraiment, *je* m'entends bien parce que *je* me parle sans cesse. Je suis en même temps l'oreille, le son et l'émetteur du son. En ce qui concerne mes cinq sens, je maximise leur fonctionnement par la tension avec laquelle je les utilise. Ma subjectivité ou mon sens interne fonctionne mieux quand je détends la tension, que je défocalise et que je laisse venir ce qu'il y a à venir. J'accueille le message de ma conscience. Je l'écoute. J'ouvre la porte à ma subjectivité. Elle est là pour me guider et pour me faire sans cesse ressentir, vivre, être ce que j'ai à ressentir, à vivre, à être.

L'ART D'ÊTRE SUBJECTIF : ÊTRE SUJET DE SA VIE PLUTÔT QU'OBJET

Au début de notre vie, avant de nous construire des images de nous-mêmes, nous n'étions que pure subjectivité et inconscience : c'était une subjectivité pré-personnelle. Nous n'avions pas de contenus de nous-mêmes, des objets, des images qu'il fallait protéger, défendre et soutenir. Nous étions tout à fait indifférents à être des filles ou des garçons, des québécois ou des asiatiques, des généreux ou des mesquins. Nous étions, si l'on peut dire, tout à fait détachés de quel que contenu que ce soit. Mais lentement nous avons développé, peut-être appris, des représentations de nous-mêmes. Nous nous sommes donnés des identités, des visages. Cela est très bien, juste et approprié. Le développement de notre conscience exigeait de nous cette capacité de nous différencier de l'extérieur, de l'autre et de devenir des individus, des êtres séparés et en même temps en lien avec les autres et le monde. Puis tant bien que mal, pour le meilleur ou le pire, tout au long de notre développement, nous avons laissé de plus en plus de côté notre subjectivité pour devenir encore plus ce à quoi ou à qui nous nous identifions et pour répondre à ce que nous avons perçu des attentes et du désir des autres. Quelque part en nous, nous conservons toutefois la nostalgie de la subjectivité perdue. Nous avons le goût de la subjectivité. Nous avons le goût de la retrouver ou plutôt de la trouver – c'est-à-dire de trouver une subjectivité qui n'est pas la subjectivité pré-personnelle mais une subjectivité différente, trans-petite-personne[62] pourrait-on dire.

Être vraiment, là et immédiatement

Si nous nous examinons en détail, ce sont les contenus de nous-mêmes qui apparaissent : nous nous voyons homme ou femme, citoyen de tel pays, pratiquant tel métier ; nous avons tel défaut ou telle qualité, telle réputation ou telle reconnaissance, tel diplôme ou tel titre ; c'est à tout ça que nous faisons référence lorsque nous cherchons à nous définir. Pourtant, ce ne sont

---

62. La subjectivité pré-personnelle est celle du petit enfant, inconscient de ses limites et fusionné à sa mère et à l'univers. La subjectivité est celle qui transcende la personne pour intégrer différemment ses images et ses faces pour en faire une subjectivité avec un visage, un Je.

que des contenus, des objets de nous-mêmes et donc, pas vraiment nous-mêmes, à savoir ce que nous sommes vraiment, là et immédiatement. Nous sommes des processus de vie. Nous sommes des ressentants, des pensants, des agissants – et ce que nous avons acquis, agi, fait, pensé et ressenti ne sont plus déjà nous-mêmes, là et immédiatement. Ils appartiennent à notre passé[63]. Les objets de nous-mêmes peuvent s'accrocher au mur comme des diplômes bien mérités et/ou se coller dans des albums comme des photos de notre enfance pour nous rappeler ce que nous paraissions à tel âge et dans telle condition, mais ces objets ne sont pas nous-mêmes. Être nous-mêmes, c'est être des sujets de vie – là et présentement.

> Claire s'étonne elle-même de l'intérêt qu'elle porte à son image dans les miroirs. Elle se regarde sans cesse – comme si ce n'était que là qu'elle pouvait trouver ou se donner une existence. Qu'a-t-elle l'air, ce matin ? ce midi ? ce soir ? Elle s'étonne aussi de son intérêt pour ses albums de photos qu'elle scrute souvent avec intensité. Avec ses amies, elle s'inquiète sans cesse : qu'est-ce qu'on pense d'elle ? qu'est-ce qu'on dit d'elle ? Ça lui en a pris du temps pour

---

63. Les objets de nous-mêmes ne sont pas nous. Le sujet, ce qu'il est, appartient au mouvement et à la vie du présent. Les objets de nous-mêmes appartiennent toujours et déjà à notre passé, immédiat ou lointain, mais passé (voir aussi les travaux de Bugental, 1965, 1976).

réaliser qu'elle n'existait que dans les reflets que lui retournaient son miroir, ses amies et ses relations. Mais lorsqu'elle a enfin compris qu'elle n'était rien de tout ça, tout a changé. Elle n'était pas ses images dans le miroir, pas ses photos, pas ce que les autres disaient d'elle. Elle était. Elle était processus et mouvement. Elle était sans cesse en changement et aucune de ses images ne pouvait l'enfermer et la retenir. Ces prises de conscience la libéraient. Elle savait que son ancien style reviendrait souvent la hanter mais elle savait aussi qu'elle pouvait maintenant s'en détacher et se porter autrement.

Être sujet de sa vie, c'est aussi se libérer – se libérer de tous ces efforts mis pour consolider et tenir bien en place des images de nous-mêmes. C'est choisir de vivre avec fraîcheur la nouveauté de toutes les situations que la vie offre. C'est donc s'ouvrir à toutes les situations de vie sans en découper et en sacrifier de larges morceaux pour uniquement maintenir et à tout prix les représentations que nous nous faisons de nous-mêmes.

La pleine conscience de soi-même

Être sujet de son expérience, cela veut donc dire être le plus pleinement conscient de soi-même, de ses ressources et de ses limites, plutôt qu'enfermé dans l'étiquette posée par l'autre ou par l'idéal en nous ; plutôt que serré dans l'absolu des définitions passées ou qu'étouffé par le « solide » des opinions des « experts ».

Être sujet de son expérience, c'est ressentir et utiliser notre capacité de nommer nous-mêmes ce que nous sommes[64], et ce que nous avons comme caractéristiques plutôt que de nous laisser glisser dans ce que l'autre ou l'idéal attend ou déclare.

> Marjolaine fait tourner un disque. Elle s'installe pour l'écouter puis elle hésite : peut-être devrait-elle lire la pochette et apprendre sur cette pièce musicale tout en l'écoutant ? Peut-être devrait-elle plutôt se concentrer entièrement sur cette musique qui entre en elle sans autre distraction ? Elle saura bien alors si elle l'aime ou pas cette musique mais par contre, si elle connaissait la pochette et les détails sur cette œuvre peut-être pourrait-elle en parler avec ses amies, ce qui augmenterait l'image qu'elles ont d'elle. Finalement, elle décide de renoncer au souci de son image et d'écouter juste pour écouter. Quelle belle musique ! comme si elle n'avait jamais entendu de musique avant cette plongée dans la musique en elle.

---

64. Être sujet de son expérience ce n'est cependant pas bonifier ou valoriser à l'avance nos démons simplement parce qu'ils sont les nôtres, c'est-à-dire reconnaître comme bons et valoriser tout ce qui sort de nous sous prétexte que ça vient de nous. Être sujet de son expérience, c'est avoir une conscience critique – critique par rapport à l'idéal, à l'autre mais aussi à nous-mêmes. La conscience critique implique la compréhension et la connaissance. De la connaissance de soi-même et de la vie la plus poussée possible émerge la compréhension qui elle favorise la conscience critique.

L'appropriation de sa vie

La subjectivité suscite le goût de vivre et l'objectivation de soi-même l'éteint. L'appropriation de sa vie en tant que sujet de celle-ci – la vie que je vis est mienne – augmente l'intérêt et le goût pour la vie. Par contre, celui qui s'objective c'est-à-dire celui qui se traite comme un objet ou une chose à faire fonctionner, à montrer aux autres et qui alors ridiculise ou blâme sa vie intérieure et ce qui l'habite, donc sa subjectivité ; celui-là risque d'éteindre graduellement en lui l'intérêt à vivre.

En effet, celui qui n'est qu'une émanation de l'extérieur ne peut pas se sentir appelé intimement dans ce qu'il est comme sujet de sa vie et de son existence pour mordre pleinement dans la vie. Sortir de sa subjectivité, c'est se déraciner l'intérêt à vivre.

> Trop longtemps bonne élève et première de classe, Jeanne s'est habituée à faire taire son imagination, ses « rêveries » comme le disait son professeur, pour s'astreindre aux mathématiques et aux règles de grammaire. Chaque fois qu'une image émanait d'elle, qu'une idée surgissait, elle la mesurait à ses règles de mathématique ou de grammaire. Si elle n'était pas conforme, Jeanne la rejetait comme une pure distraction inutile. Aujourd'hui à 40 ans, Jeanne se sent angoissée, elle a particulièrement peur de la maladie et de la mort. Sa vie est devenue terne et déprimante et malgré une sécurité professionnelle, elle n'a plus de zeste et

d'espérance de vivre. En éteignant sa subjectivité, elle s'est tuée graduellement l'intérêt à vivre.

Bien sûr, l'espace de la subjectivité contient diableries, farfelu, agressivité et imaginaire débridé mais aussi
poésie, logique et goût de tendresse. L'important, c'est
la pacification avec et à l'intérieur de soi-même – la com-
plicité de l'ensemble de la personne et de ses diverses
parties.[65]

Être sujet de son expérience, c'est donc être et se
situer à l'origine ou au départ de sa vie et de sa façon
propre de vivre ; être objet de sa vie, c'est plutôt être et
se situer dans les autres et à partir d'eux, de ce qu'ils
disent ou pensent ou semblent dire. Plutôt que d'être un
sujet humain qui se promène sur la rue pour sa marche
quotidienne, la personne se perçoit comme un objet-
chose, un voisin vaillant ou paresseux qui a ou non une
belle maison, une grosse famille... Quand elle est objet
de sa vie, la personne est réduite à un ensemble de
caractéristiques, un groupe de choses. Elle perd son
essence même qui est d'être.

Depuis quelques temps, Paul cherche à
s'installer dans ce qu'il appelle son « regard-
intérieur » posé sur lui-même et à laisser
son « regard-extérieur »qui s'auto-examine
dans le langage des autres. Lorsqu'il est

---

65. « Nous n'atteindrons jamais à notre totalité si nous n'endossons
pas les obscurités qui sont en nous. » Jung (1962), p. 336.

avec son « regard-intérieur », il va et vient dans la vie et devant les autres en s'occupant de ses affaires et en ressentant une liberté d'être et d'agir. Auparavant, il était toujours conscient de ce que les autres pensaient, voulaient et même souhaitaient. Il ne pouvait pas choisir lui-même ses gestes, ses paroles, ses pensées mêmes – il était trop soucieux des pensées et des souhaits des autres : il était leur esclave et se guidait par son « regard extérieur »

Choisir d'être en risquant de perdre

En réalité, le sujet n'a rien à faire de ces caractéristiques extérieures à lui-même qui l'objectivent et le chosifient. Le sujet a besoin de choisir. Être sujet de sa vie, c'est se choisir en choisissant sans cesse ce qui nous rend bien et heureux – ce choix part de notre intérieur et de ce que nous sommes et aspirons profondément sans se mélanger dans les relations avec les autres et sans s'offrir tel un cadeau, un don pour apaiser les autres. Être sujet de sa vie, c'est se loger en dessous des choses à faire, sous des rôles, des images et des carapaces – se loger à cet endroit où l'âme humaine déploie tout son être sans être gênée ou distraite par le regard de l'idéal ou des autres. C'est l'être qui se déploie et qui informe le reste de la personne, qui la densifie. À cet endroit et lorsqu'elle y loge, la personne ressent une plénitude et une force qui transforment sa perception des choses et des gens. Habitant cet endroit de la subjectivité, la personne éprouve la profondeur d'être et de vivre ce qu'il y a à vivre ; elle ressent alors le contentement d'être et la puissance de ses choix.

Le problème quand il s'agit de notre position par rapport à être sujet ou à être objet de nous-mêmes, c'est que ce n'est que très lentement que nous nous acheminons vers l'objectivation. C'est un style qui se développe très progressivement (et presque totalement à notre insu) et jusqu'à temps qu'on réalise un jour qu'il est trop tard, le style s'est installé et nous, nous sommes devenus des objets de nous-mêmes.

> Comme enfant, Marie était pleine d'elle-même. Elle recherchait à travers tout ce qu'elle était à vivre et à profiter de la vie. Mais en grandissant, elle a pris conscience qu'avec son beau corps, elle pouvait recevoir de l'attention. Marie évidemment aimait bien l'attention qu'elle recevait, et elle s'est mise à s'occuper de son corps. Elle l'entretenait, le poudrait et finalement elle le présentait comme au bout de ses bras. Son corps précédait sa personne. Aujourd'hui, elle offre son corps à ses amants comme on offre un objet : elle étend son corps sur un lit et c'est comme si elle disait à ses amants : Mais, chaque fois qu'elle le fait, elle sent en elle une déchirure – une malhonnêteté envers elle-même.

L'objectivation de nous-mêmes nous menace tous, quelles que soient notre appartenance sexuelle, notre condition sociale et nos origines familiales.

Philippe a toujours aimé son travail. C'est un bûcheur déterminé avec des objectifs clairs qu'il atteint. Cette attitude le conduit à faire un gros salaire. Il gagne donc beaucoup d'argent qu'il distribue d'ailleurs ici et là et on le considère bien. Il aime bien se sentir considéré – et sa tendance au travail augmente. Il se présente partout avec son portefeuille : Son portefeuille est devenu son porte-voix. Sans lui, il n'a pas de place.

Être sujet ou redevenir sujet de sa vie implique que la personne se donne la permission et le droit d'être et qu'elle accepte le risque de tout perdre autour d'elle si elle laisse aller l'objectivation d'elle-même – cela n'est évidemment pas de tout repos. Accepter de tout perdre plutôt que de se perdre soi-même et de s'aliéner au point de ne plus savoir qui on est et ce que l'on veut. Cela ne peut pas se faire sans en même temps se retourner vers son mouvement intérieur spontané qui est de redevenir *sujet* de sa vie. Cela veut dire de se donner le droit et le pouvoir de se rendre heureux soi-même, le plus possible et le mieux possible. Le droit et le pouvoir de faire soi-même son bonheur.

Richard demande aux autres de le rendre heureux. Par exemple au restaurant avec son amie, il a quelque part dans sa tête et en sourdine un qui sans cesse lui revient. Comme son amie s'exprime sur toutes sortes d'autres sujets, Richard se dit « Mais elle ne cherche vraiment pas à me rendre heureux. » Et alors il éprouve une lourdeur et une pesanteur tristes. Mais là, sans trop savoir pourquoi, il se redresse l'intérieur : Quand Richard aura répondu à cette question pour un repas au restaurant et pour n'importe quoi d'autres et n'importe où ailleurs, Richard se donnera lui-même le droit et le pouvoir d'être heureux en devenant enfin sujet de sa vie.

Individualité et globalité de la vie intérieure

Le goût de vivre habite la personne, épouse toutes ses particularités ; c'est d'ailleurs pourquoi la personne se doit d'être subjective et de respecter sa subjectivité. Saisir et comprendre le goût de vivre ne peuvent pas se faire directement de l'extérieur – ce qui du goût de vivre est extérieurement perçu, ce n'est que son effet. Le goût de vivre est intérieur et subjectif. Il varie donc selon l'individualité de chacun et au point tel qu'il est possible d'affirmer que chaque personne possède son goût de vivre particulier. Le goût de vivre d'une personne rencontre des similitudes avec celui d'une autre mais il n'en demeure pas moins tout à fait personnalisé. Et donc, il demande de la subjectivité. Cela veut dire entre autres qu'on ne peut pas penser que le goût de vivre peut nous arriver ou nous être donné de l'extérieur comme par exemple on administre un médicament. Bien au contraire il implique que la personne participe à sa création en étant sujet de sa vie ; pas un objet manipulable qui ne devient et ne se maintient que par les influences de l'extérieur sur lui. Pour naître, le goût de vivre exige cette présence de la personne à elle-même, celle qui lui permet de dire : *Je et Je veux*. Chacun peut découvrir le lieu où fleurit ce *Je veux* et la distance qui sépare ce lieu de la périphérie et des agents extérieurs.

Lorsque je peux dire *JE VEUX*, ce ne sont pas seulement mes émotions qui s'expriment, pas plus que seulement mon bon raisonnement ou mon bon jugement — c'est une totalité, une globalité faite de tous ces mécanismes qui s'accomplissent et alors je dis *JE VEUX*. Conséquemment, c'est tout ce qui peut me servir à mettre dans la réalité ce *JE VEUX*, tant ma raison, mes émotions que mon imaginaire… Pour certaines personnes ces instances s'opposent — par exemple l'émotion au raisonnement — et il faut choisir entre elles. En réalité, ce qu'il s'agit de choisir c'est beaucoup plus l'intégration harmonieuse des diverses instances — une recherche sans cesse à reprendre pour créer ou retrouver l'harmonie de façon à ce que ce soit toute la personne qui s'exprime à travers son *JE VEUX*. Ce qui est dit ici à propos du vouloir s'applique également à toute la vie intérieure : les émotions que je ressens, les idées qui bougent en moi, les mouvements corporels que j'exerce — tous participent à ma subjectivité sans que je tente de retenir les émotions qui ne conviennent pas, que je coupe les idées qui ne sont pas de la bonne logique ou encore que j'enferme les mouvements de mon corps dans une rigidité pour les convenances.

Chercher à rendre nos vies plus subjectives n'implique pas l'affrontement des parties — le spirituel contre le sensuel, la logique contre l'imaginaire. Au contraire, réclamer sa subjectivité, c'est réclamer sa totalité – sa globalité. Trop souvent nous avons séparé et départagé ce qui en fait était construit pour fonctionner comme un tout. Si nous sommes par nature capables de chacune de ces sources, si nous avons hérité de tous ces instruments, cela suppose que pour le bien de la personne, nous ayons à les coordonner dans un tout – et ce tout, c'est notre subjectivité.

Intégrer l'objectivité et apprivoiser l'inconscient

Comment expliquer alors que nous ayons tellement négligé et si souvent détruit notre propre subjectivité ? C'est principalement à cause de nombreux conflits réels ou imaginés avec les autres, avec les mœurs de la majorité et surtout à cause de cette valeur sociale trop souvent partagée selon laquelle : « être-subjectif » est associé à être vaporeux, sentimental, non réaliste alors que l'objectivité est quant à elle plutôt associée à substantif, qualité, équilibre et solidité. L'objectivité érigée en absolu comme le refus de toute objectivité ne peuvent que réduire la personne à quelques-unes de ses caractéristiques. Toute vision extrémiste est en elle-même réductrice : qu'elle valorise l'objectivité ou la subjectivité, peu importe. L'objectivité peut être mise au service de la subjectivité. Par exemple, l'objectivité qui maintient silencieuse notre vitalité subjective afin de mieux cerner les caractéristiques du milieu ou de l'environnement devient un instrument au service de la subjectivité. En permettant aussi une perception plus appropriée du milieu, l'objectivité offre dans un premier temps une vision des choses et de la réalité que la personne pourra par la suite mettre en parallèle avec les données de ses autres instruments (intuition, émotion, etc.) et sa subjectivité s'exercera pleinement pour intégrer cet ensemble de données.

> Devant ces bruits confus et imprécis, Carmen se tient immobile et silencieuse : elle scrute la noirceur autour d'elle et elle ne veut pas se laisser guider par l'emprise que peut exercer sur elle la peur du noir. Elle fait taire son inquiétude pour se mettre à l'écoute de tous les indices. Puis là, discernant bien les chats qui fouillent les poubelles, elle peut continuer sereine et calme sa promenade et en profiter pleinement.

Être subjectif, c'est encore et toujours être doucement avec soi-même, avec toute cette vitalité qui émerge de nous et même de celle qui émerge de cette région obscure et si souvent menaçante à savoir l'inconscient, les rêves et les diableries.

Enchaîner l'inconscient, c'est tenter de le rendre raisonnable, logique et conforme. C'est souvent aussi chercher à le nier en faisant comme si nous pouvions parvenir à le mater en le contrôlant. L'inconscient ne peut pas être dompté par la raison et l'objectivité pure mais il peut se domestiquer et s'apprivoiser de l'intérieur pour pouvoir y puiser toute la vie qu'il contient et l'utiliser comme source intarissable possible de vitalité et de subjectivité.

Je, veut être bien

La subjectivité c'est la vie sauf que pour un observateur extérieur c'est bien possible qu'elle ne soit rien parce que pas directement observable ou mesurable – ce qui peut se mesurer, c'est ce qui est observé : les sois, les représentations et objets de soi-même. C'est comme si n'existait que ce qui peut être directement perçu de l'extérieur, et qu'il s'en suivait une équation fausse entre ce que nous paraissons (nos objets de nous-mêmes, nos sois) et ce que nous sommes vraiment (notre subjectivité). Nous ne sommes pas uniquement ce qui est automatiquement vu, perçu ou observé par soi-même et par les autres. Nous sommes subjectifs et d'ailleurs, elle transparaît cette subjectivité, elle s'« incarne » lorsqu'un filtre, un passage lui permet de transparaître. Par exemple, je ressens le « Je » par le filtre de ma décision ou de mes sensations.

En ce jour de tempête, Marc se sent tout corps et toutes sensations. Il a allumé un bon feu de bois dans la cheminée, il écoute une musique sublime et dehors, c'est la tempête, le froid et la bourrasque. Il est toutes ses sensations – comme un assemblage de sensations – et tout au cœur de ces sensations, il se perçoit comme uni, intégré, un centre, un Je, une subjectivité percevante. Il est au centre de sa vie et cela lui fait

> remonter étape par étape vers ses sensations. Par le filtre de ses sensations, il découvre puis accompagne son Je, sa subjectivité. Il conscientise encore plus qu'il est, qu'il est bien et qu'il veut être bien.

Que de fois la personne ressent à l'intérieur d'elle ce goût d'être bien – JE VEUX ÊTRE BIEN – et là, elle cherche ailleurs, en dehors les consolations possibles, les stimuli possibles qui engendreraient cet état de bien-être tant recherché ou attendu. Dans ce *je veux être bien*, il importe que le *Je* soit entièrement au service de *vouloir être bien*. Pour que *vouloir être bien* advienne, le Je ne peut pas être divisé ou se liguer contre lui-même, vouloir se punir ou vouloir réparer. Le *Je* doit être pleinement là – complètement là.

> Face à lui-même, avec toute la vie qui se déroule autour de lui, toutes ces stimulations, Philippe se contraint à répéter : – comme pour s'approprier tout le reste c'est-à-dire tout ce qui suivra ce Je pour encore plus ancrer son appartenance à lui-même. Il peut ensuite plus facilement dire : parce que tout le Je et les ressources du je sont à son service. Le « je veux être bien » est alors prioritaire à tout le reste – vouloir être considéré, bien paraître… – qui grugeait le Je dans ses pouvoirs et dans ses capacités et ressources.

C'est seulement après avoir pris toute la force du Je que le reste peut suivre, c'est-à-dire le « vouloirêtre-bien » et le vouloir se consacrer à son bien. La force du Je pénètre et informe le « vouloir » et elle le fait non pas à demi ou à moitié mais pleinement pour éclater dans un « Je-veux » total et débordant de sens.

Prendre la responsabilité de sa vie

Puisqu'on ne naît pas objet de sa vie mais qu'on le devient, comment pouvons-nous comprendre qu'un enfant sujet de sa vie, devienne une personne objet de sa vie ? Un des plus puissants agents de ce passage reste l'influence des personnes significatives. Si très tôt dans la vie ou de manière répétitive et insistante, les personnes significatives (mère, père, ami, conjoint, patron…) nous considèrent et nous regardent comme des objets (la relation Je-ça), nous nous considérerons et nous nous regarderons également comme des objets nous identifiant ainsi à ce qu'elles ont vu, perçu, désiré ou attendu de nous. Et nous le faisons parce que ces personnes sont importantes pour nous et que nous ne voulons pas ni les décevoir, ni les perdre. Mais pendant ce temps le sujet s'éteint graduellement pour laisser la place à ces personnes significatives – celles–ci deviennent alors ou plutôt restent des sujets alors que le sujet lui-même accepte de se reléguer dans la position de l'objet. Au lieu de se vivre lui-même comme sujet, il devient l'objet des autres sujets significatifs et de là, objet de lui-même par identification. Devenue objet, la personne ira dorénavant continuellement vérifier à travers l'écho de ses paroles et dans son image dans le miroir, dans ses actions et conduites présentes et passées, si elle est bien selon ce que l'autre attend, dit ou pense. Prise au piège entre son besoin d'être considérée par les personnes significatives et la peur de les perdre – elles-mêmes ou leur considération – la personne devenue objet, opte pour la conformité et la continuité de ses images et ainsi elle en arrive elle-même à se donner activement le portrait ou l'image que l'autre lui donne.

> Affublé d'épithètes par son amie, Paul n'arrive plus à fonctionner de lui-même. « Menteur ! Hypocrite ! Vicieux !... » lui tournent en tête et il cherche sans cesse à vérifier si ces titres lui conviennent. elle le pense se dit-il « ça doit être un peu vrai. » De là, l'examen incessant de lui-même comme s'il n'était qu'un objet. Même s'il arrive à infirmer ses dires, il s'épuise à se regarder vivre plutôt qu'à vivre lui-même comme un moteur de vie, étranger aux injures de son amie.

Souvent l'objectivation de soi-même dans un domaine de notre vie s'étend par contamination à l'ensemble de ce que nous sommes. C'est la même chose pour la subjectivité : être et devenir sujet de sa vie dans un domaine particulier a tendance à s'étendre à l'ensemble des autres domaines de la vie.

L'être humain a spontanément le goût de devenir sujet de sa vie comme il a spontanément le goût de ressentir le pouvoir de vivre – le pouvoir de conduire sa vie. Le goût de vivre est essentiellement un goût de continuer et tout ce qui favorise la continuité de soi-même participe au goût de vivre. Le pouvoir que nous nous octroyons en étant des sujets de notre vie – donc créateurs nous-mêmes de ce que nous nous donnons de la vie plutôt que objets de nous-mêmes à qui la vie arrive – implique aussi que nous sommes responsables devant la vie, devant celle que nous nous sommes donnés et celle que nous nous donnons. Il existe effectivement une synergie entre d'une part, accepter et prendre la responsabilité de sa vie, et d'autre part être sujet de sa vie. Plus nous fuyons notre responsabilité, c'est-à-dire plus nous faisons dépendre des autres ou des circonstances ou de notre nature biologique la vie que nous vivons, plus nous faisons de nous-mêmes des objets. Nous laissons aux autres et aux circonstances la responsabilité de ce que nous sommes.

> Divorcée depuis cinq ans, Catherine rumine sans cesse son mariage, sa misère d'être seule, les avantages de son ex-mari qui, lui, a refait sa vie… Elle ne peut pas se défaire de cet apitoiement sur elle-même se répétant combien tout cela est injuste puisqu'elle n'a rien fait pour conduire son mariage à un échec. Tout est de la faute de son ex-mari et de son alcoolisme. Pourtant Catherine a été très présente dans l'échec de son mariage. Tout comme son ex-mari, elle est responsable de cet échec – ce qu'elle refuse mordicus d'accepter : se crie-t-elle souvent. Mais malgré les faits, elle s'abstient toujours de reconnaître qu'elle refusait de partager sa sexualité avec son mari, qu'elle n'acceptait

pas de travailler à l'extérieur pour soulager le mari du poids financier, qu'elle narguait celui-ci sur son pauvre métier et ses pauvres revenus. Ce n'est que très lentement qu'elle a accepté de reconnaître que plusieurs de ses attitudes étaient des agents importants dans l'échec du mariage et, qu'elle était responsable de ses attitudes tout autant qu'elle était responsable du jeu de ses attitudes dans l'échec. Somme toute, elle était responsable de ce divorce tout autant que son ex-mari. Avant que la souffrance et cette fois, le vrai deuil de son mariage s'établissent, elle a vécu de longues tristesses et des morsures atroces de culpabilité – de saine culpabilité. Reconnaissant ainsi sa responsabilité tant dans son mariage que dans son divorce, elle pouvait par la suite réaliser qu'elle était aussi responsable de sa vie présente. Elle n'était pas que l'objet, la pauvre victime d'un mari mécréant. Si elle était responsable de sa vie présente et future, elle devait se donner la meilleure vie possible. Son ressentiment et ses sempiternelles plaintes sont graduellement disparus et Catherine est devenue sujet et responsable de sa vie.

Pour éviter la culpabilité, le blâme ou la condamnation, c'est particulièrement tentant d'attribuer la responsabilité de ses malheurs à l'extérieur de soi-même. Cela repose sur notre grande peur de la culpabilité et de la condamnation qui s'ensuit. Pourtant, la responsabilité n'est pas l'équivalent de la culpabilité. Nous sommes responsables de bien des événements de notre vie mais n'en sommes pas nécessairement coupables. Et même si en plus d'être responsables nous sommes coupables, c'est de nos négligences, de nos défauts et en un mot, de nos limites que nous le sommes ; cette culpabilité hors du blâme et de la condamnation peut être saine et utilisée pour notre développement – pour corriger nos défauts et pour prendre au sérieux la conduite de notre vie.

Se mobiliser sur soi et pour soi

Pour que la subjectivité – l'attitude d'être sujet de sa vie et de sa personne – s'installe comme un style, une manière constante d'être, la personne doit répéter et répéter le virage sur le cap du Je : et elle doit savourer ensuite les moindres petits plaisirs qui apparaissent lorsqu'elle est subjective.

Dans ses relations interpersonnelles, la personne est facilement appelée[66] à rester objet d'elle-même. Chaque retour sur le sujet nécessite un effort de conscience. Être sujet, c'est en fait s'efforcer de se mobiliser soi-même pour et sur soi-même. On peut donc parler de deux forces qui se contredisent : devenir sujet et rester objet. Ce n'est que très lentement avec patience et

---

66. Si la personne est ainsi facilement happée par la position d'objet d'elle-même, c'est qu'elle peut en tirer et en tire des plaisirs et une certaine satisfaction : fusion possible avec l'autre, laisser aller ses responsabilités, assurance de sécurité…

répétition qu'une personne peut parvenir à contrer l'effet de cette force qui la pousse à conserver la position d'un objet et à s'en libérer pour finalement s'installer dans la position d'un sujet et dans un style de vie subjectif.

> Philippe est fatigué et écrasé sous le poids de son travail qu'il n'arrive plus à faire. Il se sent épuisé et sans ressources, incompétent et défait. Plein de tristesse, il se dit finalement : « Je ne suis pas cette tension stomacale, ce stress musculaire, cette voix brisée – je suis conscience de cette tension, conscience de ce stress – c'est ça que je suis ! J'observe mes émotions, je regarde mes fatigues. C'est tellement comme ça : Je suis conscience. Et ça m'explique d'ailleurs ce petit coin d'humour que je suis capable d'avoir face à toutes mes lourdeurs – stress, fatigue, etc. Je suis sujet et conscience – cela va bien au-delà de la super-conscience de mes rôles ou de mes paraîtres. Je veux être et rester un *Je-conscience*. De là, de ce lieu en moi, bien sûr je m'observe manquant de mémoire, fatigué et tendu mais je réalise aussi que ce que les autres voient, ce n'est qu'une infime partie de moi, des reflets de mes sois, de ma fatigue, etc. Ils ne voient, ces autres, qu'une toute petite partie de cette fatigue, dans mon regard lourd par exemple. Ce que personne ne voit, aucune autre personne ne voit ou n'observe, c'est mon Je, ma conscience. Ce *Je conscience*, personne, même moi-même, ne peux

l'observer, le regarder. Dans ce lieu du Je-conscience, il n'y a pas de tristesse d'être moi-même. La tristesse de ce que je suis, c'est davantage la tristesse d'observer mes sois, mes rôles, mes paraîtres et de croire que je ne suis que ces sois observés, ces paraîtres vus et non pas un *Je-conscience*. Lorsque je suis avec mon *Je-conscience*, en ce lieu, je peux profiter de la vie car alors elle entre selon mes possibilités qui n'ont pas à être incommensurables, selon mes ressources qui n'ont pas à être héroïques et selon mes capacités et celles de mon organisme. Là, je n'ai qu'à apprécier ce qui entre de la vie dans ma conscience sans être gourmand et exigeant. Être avec le *Je-conscience*, c'est aussi apprécier avec humour, retrouver le sens de l'humour sur mes sois – comme un regard détaché de ces sois. Je suis alors celui qui sourit des manifestations de moi-même : c'est par exemple me voir anxieux sans l'être. Et c'est plus être avec mon identité qu'avec mes rôles. Peut-être que les orientaux et ce courant qui propose de laisser tomber le soi, de lâcher le connu, veut dire être aussi avec le Je ?

Se sentir libre et capable, compétent

Le mouvement qui va du Je au soi et des sois au Je s'appuie sur un sentiment de compétence face à sa propre vie – le désir et le pouvoir – se sentir capable de faire de sa vie ce que l'on veut bien en faire. La difficulté, c'est de laisser aller les sois, rôles et paraîtres qui s'observent, se voient et se mesurent directement pour un Je, un sujet qui ne s'observe pas, ne se voit pas, ne se mesure pas mais qui se ressent. La subjectivité n'est rien de palpable et pourtant, elle se ressent. Elle se ressent comme à travers un voile et sa principale caractéristique c'est l'appartenance – comme un moteur qui appartient à la personne.

> Louis se sent en pleine forme. Il est bien avec lui-même. Il est en contact avec lui-même, « dans ses souliers » comme il aime dire. Il se sent abondant. Toute question qui lui est adressée peut soulever des réponses ou des tentatives de réponses. Il peut expliquer, trouver des exemples appropriés, proposer une synthèse. Tout ça est en lui d'une certaine façon ; plus précisément, il peut fabriquer tout ça dans son usine intérieure. Toutefois ce qui importe pour être dans cette belle forme, c'est de laisser aller son idéal, ses images qui trop souvent l'évaluent, le blâment et le bousculent et *surtout*, le distraient de sa propre expérience, de sa propre vie intérieure, palpitante de vitalité.

Le Je se fait donc sentir *à travers* – à travers les choix, les ressources, les actes et les projets d'un sujet, d'une personne. Ainsi, choisir une dimension à se donner, une ressource à développer, une qualité à obtenir, c'est aussi réaliser que le Je existe, que le sujet est au départ puisqu'il peut décider quelque chose pour l'ensemble de la personne, pour le bien de l'organisme et qu'il peut s'en occuper malgré la souffrance et les difficultés de s'en occuper. Le contact avec le Je, c'est comme un constat d'existence, un sentiment de capacité à faire quelque chose pour soi, une émotion de pouvoir pour soi-même. Être sujet, un je, ce n'est pas épuiser tout notre être, c'est constater que nous sommes des moteurs de notre vie.

Quitter ou simplement s'éloigner de l'espace du Je et demeurer trop en contact avec les objets d'elle-même peut amener la personne à désespérer de son pouvoir, de sa capacité à changer les choses, à se vivre autrement et à se voir autre qu'impuissante et incapable. Par cette manière particulière de se percevoir elle-même dans ce qu'elle est – et c'est le cas lorsqu'elle est déprimée – la personne développe un climat intérieur propice au désespoir, au goût de la mort ou du suicide pour en finir avec tout et éviter le doute et la honte d'être elle-même.

Par ailleurs, la personne (sujet et conscience) se revigore et s'oriente vers la vie non pas en étant aimée, entourée et acceptée, mais en se sentant elle-même, moteur – donc, en aimant, en étant attirée et en faisant. Se sentant ainsi agissante et agissante appropriée au bien de l'organisme, la personne se ressent existante – existante et énergique.

La subjectivité ouvre et se continue à travers une infinité de ramifications, c'est-à-dire qu'une action est choisie et de là elle s'étend à d'autres facettes de la vie. Le gain et la morsure à la vie obtenus à partir d'une seule action s'étendent lentement à d'autres actions de d'autres domaines même si au moment où la personne les considère, ils apparaissent anxiogènes.

Identifier et répondre à ses besoins

Pour décrire encore mieux la subjectivité et l'importance de rapatrier le pouvoir sur soi-même et sur sa vie, appliquons ces notions à ce qui de la personne peut se traiter subjectivement : nos besoins. Aujourd'hui pour la plupart des êtres humains, les besoins fondamentaux (manger, dormir, etc.) sont automatiquement identifiés et sauf exception, directement remplis et même comblés. Or, la réponse à ces besoins primaires permet à des besoins d'ordre secondaire de se faire ressentir comme par exemple une certaine qualité de nourriture, un environnement particulier pour vivre, etc.[67]. Les besoins secondaires ne sont ni automatiques ni directement répondus. La personne doit d'abord les identifier – en préciser les factures et les nuances en se demandant : qu'est-ce que je veux de la vie ? comment je veux qu'elle soit ? comment atteindre ce que je veux ? Viennent alors les nuances et les qualités particulières que la personne se doit d'écouter en elle – pour les préciser davantage, les définir plus clairement – nuances et qualités identifiées et précisées, la personne doit alors se mettre en marche pour trouver ses réponses.

---

67. Voir sur ce point, les travaux d'Abraham Maslow (1954).

Sachant sa vie bien organisée dans son ensemble (travail, amour et projets) Romuald cherche à augmenter avec plus de finesse sa satisfaction de vivre. Plusieurs de ses besoins ne sont répondus que grossièrement. Il sait qu'il peut par le raffinement de l'écoute de ses besoins, accroître la connaissance de lui-même et la direction à donner à sa vie. Pour atteindre cette connaissance, il doit lutter contre tout ce qui l'empêche d'être en amitié avec lui-même et avec ses besoins.

La difficulté de trouver réponse à ses besoins peut se situer ailleurs que dans leur identification. Chez certaines personnes, les besoins sont clairs et distincts, cependant elles hésitent et parfois même s'empêchent de leur donner une réponse appropriée. L'obstacle principal qui s'installe chez elles est, encore ici, l'orgueil. À l'intérieur d'elles-mêmes, elles se considèrent tellement grandioses et tellement méritantes qu'elles estiment que les autres autour d'elles devraient spontanément remplir leurs besoins comme un dû – leur offrir nécessairement des réponses à leurs besoins. De l'extérieur, ces personnes paraissent complètement détachées d'elles-mêmes, totalement au service des autres, mais ce qu'elles désirent et ce pour quoi elles ne cherchent pas elles-mêmes une réponse à leurs besoins, reposent sur l'impression intérieure – presque de la conviction – que cela appartient aux autres de les combler.

Bien installé dans son fauteuil après une bonne journée de travail, André lit son journal. Il aime bien ce moment particulier de la journée. Marise, sa femme, vient s'asseoir près de lui. Tout généreux, André laisse tomber son journal et entreprend une conversation avec Marise – malgré le goût qu'il a de poursuivre sa lecture. Mais il rage à l'intérieur de lui pendant toute la conversation parce qu'il ne peut pas lire son journal. Tout se passe comme s'il se disait :

Les êtres humains sont seuls avec leurs besoins – il n'y a personne d'assez grandiose, d'assez merveilleux pour que les autres répondent à leur place à leurs besoins ou encore leur accordent toute la facilité pour répondre à leurs besoins. Encore ici, avec ses besoins la personne est seule. Si elle ne trouve pas et ne s'accorde pas par elle-même une réponse juste et appropriée, personne ne la remplacera dans cette tâche. Celui qui se prétend d'une si haute qualité qu'il espère que les autres s'occupent de ses besoins, celui-là emmagasine les frustrations et les déceptions qui le conduiront à une misère à vivre et ce, tant et aussi longtemps qu'il ne défera pas son système d'attentes magiques. Tout être humain est seul avec lui-même pour bien préciser la nature de ses besoins, pour identifier le type de réponses susceptibles de le satisfaire et pour obtenir cette réponse satisfaisante. Être sujet de sa vie, c'est aussi cette manière de traiter ses besoins.

Celui ou celle qui est vraiment sujet de sa vie, qui identifie et répond à ses besoins, éprouve une satisfaction d'être ce qu'il est dans laquelle baigne le goût de vivre, le goût de continuer. Harmonisant la réponse à ses besoins avec le respect des autres personnes autour de lui, il se sait capable et compétent pour s'occuper de lui-même.

> En revenant de son travail, Simon pense à son souper. Il pourrait peut-être manger le contenu d'une de ses nombreuses conserves et alors se contenter de remplir son estomac vide. Mais cette idée le rend triste. Il se ravise : qu'est-ce qu'il veut vraiment manger ? Il aimerait bien un bon pain – un bon steak et une bouteille de vin rouge. Il prend la direction de l'épicerie avec le sourire de celui qui sait qu'il s'occupe bien de lui.

Certains répondent à leurs besoins uniquement lorsqu'ils sont en pleine forme, tout à fait contents d'eux-mêmes, et ils les négligent lorsqu'ils sont tristes. Ils ne réalisent pas combien le fait de se placer comme sujet de leur vie et de trouver ainsi par eux-mêmes la réponse à leurs propres besoins – le simple fait de s'occuper d'eux-mêmes – augmente le contentement de soi-même et facilite le respect de soi – premiers pas pour sortir de leur état de tristesse.

Accorder du temps à sa vie intérieure

Devenir subjectif demande aussi de dépasser les distractions ou plutôt les obstacles à la concentration et à la contemplation pour savourer de l'intérieur la vie du cœur et de l'esprit, la vie intrapersonnelle.

> Pierre réalise que s'il veut être bien, à l'aise et dégagé, il doit accorder du temps à sa vie intérieure. Même qu'il découvre que son bien-être est proportionnel au temps qu'il accorde à cette vie intérieure, à la douce réflexion sur la vie, à la lecture et à la méditation. En se donnant du temps, il se témoigne qu'il vaut ce temps, qu'il le mérite. Cela renforce son estime de lui-même et il se sent mieux avec les autres.

D'une certaine façon, la vie intrapersonnelle[68] et particulièrement la subjectivité est la première condition à une vie interpersonnelle harmonieuse. Entretenir sa vie intrapersonnelle, c'est harmoniser sa vie interpersonnelle. La vie intrapersonnelle existe et fleurit à condition que la personne y consacre du temps – de la discipline et du temps pour donner priorité à sa subjectivité : s'arrêter, faire le point, méditer et réfléchir. Réfléchir aux

---

68. La vie intrapersonnelle de la personne avec elle-même, l'*eigenwelt* (voir May, 1958), regorge de possibilités de pensées, d'images et de fantaisies ; ce n'est pas la vie des autres en nous, le *mitwelt*, à savoir la vie des ruminations, des pensées automatiques générées par la peur des autres ou la honte et la culpabilité.

moyens à prendre, aux attitudes à développer, à l'énergie et au temps qu'il faudra désormais rendre disponibles pour faire de sa subjectivité une priorité et un objectif visé. Et à travers, la personne trouve finalement la bonne dose d'être et la bonne dose d'agir. La position qui lui convient entre être et agir. Être d'abord, agir ensuite[69].

Être plutôt que paraître

Lorsqu'une personne parvient à se vivre comme sujet de son expérience et de sa vie, c'est qu'elle a réussi à effectuer un déplacement au niveau de son attitude intérieure et qu'elle s'est éloignée graduellement du lieu où elle se vivait comme objet d'elle-même. C'est un déplacement à peine perceptible ou en tout cas peu fracassant mais qui n'en demeure pas moins un mouvement crucial pour le mieux-être de la personne. Par ce mouvement, elle se trouve comme à se décoller d'elle-même, à se détacher de la sur-conscience de ses paraîtres, de ses rôles et des manifestations de ce qu'elle est – pour se situer comme sujet, comme *Je*, dans ce qu'elle est vraiment avant et en dessous de ses rôles et de ce qu'elle paraît. Là, juste à cet endroit, elle n'a pas à faire preuve d'intelligence, de beauté, de virilité ou de quoi que ce soit d'autre. Elle n'a qu'à être-être au départ d'elle-même, à cet endroit où elle n'a plus besoin de s'efforcer pour être aimée et appréciée et où elle ne se

_____

69. Voir le chapitre 9 : Le contrat avec la vie.

mesure plus à l'amour, à la considération ou au rejet par l'autre. Elle est doucement avec le départ d'elle-même.

Passer intérieurement d'une position d'objet de soi-même à celle de sujet de sa vie entraîne nécessairement des changements dans le vécu émotif. Devenue sujet, la personne laisse aller les plaisirs triomphants de ses rôles et paraîtres mais en même temps ses contreparties : les hontes et les humiliations. Elle perd donc le triomphant, l'éclatement de vaincre, la vanité d'être admirée mais également – et c'est là l'avantage – la tristesse de ne pas avoir, de perdre, de ne pas être à la hauteur et adéquate.

> Dans ce beau dimanche matin de soleil, Guy bouge en lui ce petit appel à la vie. Il sait bien toutes les choses qu'il a à faire – pour son travail, sa famille ou sa maison. Face à ça, il peut éprouver toute une gamme d'émotions, positives ou négatives, mais il se sent happé par une en particulier qu'il éprouve à propos de tel travail bien précis qu'il doit faire : une sorte de tristesse, un sentiment de ne pas être à la hauteur, comme une morsure de honte face à l'évaluation possible par ses confrères – bref une déception de lui-même. Puis graduellement il parvient à bouger son intérieur et à s'installer dans la position de sujet de lui-même. Là, c'est plus serein. Les émotions négatives le laissent. Il s'installe dans le sujet et il peut plus facilement voir l'ensemble de sa vie, de son avenir et de son passé. Là il peut

se vivre avec plus de sérénité et plus ordonné parce qu'il ne se met plus entièrement dans une seule facette de lui-même.

Sujet de sa propre vie, la personne s'élargit. Elle se
donne de la largeur, de la profondeur et de la perspective. Elle se sent plus vaste et pleine d'étendue et ne
s'enferme pas dans son paraître ou même dans une des
facettes de ce paraître. Elle ne se sent plus étroitement
liée ou potentiellement limitée ou pire, démolie par la
réaction d'autrui fut-il la personne la plus significative de
sa vie. Les remarques et les commentaires de l'autre
sont alors davantage appréciés à leur juste valeur.
Remarques et commentaires sont écoutés et peuvent
être retenus – pour corriger ses défauts, améliorer ses
relations interpersonnelles – cependant ils ne détruisent
plus la personne, ne l'écrasent plus ou ne la réduisent
plus à un être insignifiant qui ne possède de la valeur et
du sens qu'à travers et dans la réaction de l'autre. Là, à
cet endroit, la personne est consciente de ses faiblesses
comme de ses ressources. Ses faiblesses toutefois, elle
les accepte et elle les intègre à l'ensemble de ce qu'elle
est. Elle n'a plus aucun élan pour porter triomphalement
ses ressources comme elle ne cherche plus à dissimu-
ler, à camoufler ou à refouler ses faiblesses. Ce qu'elle
est, ce qu'elle a, ce qu'elle possède ont des limites et
des frontières et c'est bien ainsi. Elle peut vouloir tirer le
maximum d'elle-même sur une dimension mais en gar-
dant l'harmonie avec l'ensemble de ce qu'elle est.

Se libérer de l'autre-en-soi

Le goût d'être sujet de sa vie et la spontanéité de ce goût s'observent particulièrement chez l'enfant sain. Il désire faire les choses par lui-même, ses choses. Il en tire une grande satisfaction et il l'exprime à chacun de ses gains : prononcer ses premiers mots, se vêtir seul, attacher ses souliers... Cette spontanéité de l'enfant, naturelle et satisfaisante, rencontre cependant rapidement ce qui peut devenir son terrible ennemi : l'autre-en-soi.[70] La spontanéité s'estompe à mesure que l'autre-en-soi prend de l'importance en tant que l'autre à qui nous devons absolument plaire sans quoi nous risquons le rejet, le blâme, le jugement et la culpabilité. Cette forme particulière d'importance donnée à l'autre-en-soi ne peut que mener insidieusement à de l'insatisfaction par rapport à notre individualité et à de la méfiance ou de la retenue face à notre spontanéité. La spontanéité laisse place à une sorte de soumission anxieuse à l'autre-en-soi. Cet autre-en-soi finit par accaparer la position du sujet de notre vie et nous nous réduisons à être ses objets. Pour redonner à la personne la position de sujet de sa vie la rendant elle-même responsable de son destin, l'autre-en-soi doit devenir l'autre-en-dehors-

---

70. Être objet d'elle-même renvoie au regard de l'autre-en-soi posé sur la personne. Cet autre-en-soi est le résultat de l'internalisation des attentes d'une autre personne de qui le sujet voulait être aimé et considéré. Pour s'en libérer, il importe d'accepter le risque de perdre l'autre, si cette perte est nécessaire au maintien de la spontanéité, d'accepter aussi de ne plus être aimé par cet autre si ce renoncement est nécessaire à sa propre authenticité.

de-soi, c'est-à-dire un autre sujet, lui-même sujet, responsable de sa propre vie et avec qui la personne interagit.

> Stéphane connaît bien deux attitudes émotives différentes devant les autres. Devant une autre personne, parfois il s'évalue, se mesure, se compare, tente de convaincre, de plaire, d'être accepté ; parfois il se sent libre et vraiment en contact avec l'autre personne – il l'écoute, profite de ce qu'elle dit et il accepte même que l'autre personne s'oppose à lui et rejette ses idées sans que lui-même se sente rejeté. Il se sent tellement mieux dans sa peau lorsqu'il peut vivre avec cette deuxième attitude.

Libérée de l'autre-en-soi, la personne redevient sujet de son expérience, stimulus et source de sa vie.

> Présent au meeting, Stéphane promène le regard sur ses confrères avec qui il travaille depuis plus de 10 ans – des gens qui l'ont applaudi et rejeté, confirmé et ignoré. Avec l'attitude de l'autre-en-soi, il se mesure et s'évalue avec leurs propres yeux. Il ressent alors de l'angoisse et de la peur ou de la joie et de la satisfaction selon que cet autre-en-soi est blâmant ou content et acceptant. Par contre, lorsqu'il passe à l'attitude de l'autre-en-dehors-de-soi, il regarde ses confrères avec une distance appropriée. Il peut comprendre qu'ils acceptent ou refusent ses idées ou ses suggestions. Mais il

ne s'évalue pas à travers leurs paroles. Il demeure lui-même et se sent comme approprié. Il est alors plus proche d'une sérénité qui lui fait goûter les interventions des autres. Il s'enrichit des commentaires qu'il entend.

Pour redevenir sujet de sa vie, et ainsi se donner une source de goût de vivre, il faut donc accepter de travailler à changer l'attitude fondamentale de l'autre-en-soi et voir à la remplacer par celle de l'autre-en-dehors-de-soi. C'est bien sûr beaucoup plus un changement d'ordre émotif qu'un changement d'ordre conceptuel – c'est l'émotion qui est appelée à changer plus que le concept ou l'idée. Il ne s'agit donc pas de dire : ce qui peut être aidant mais nettement insuffisant tant et aussi longtemps que ce n'est pas d'abord et avant tout senti. Et ce qui est senti n'est pas toujours plaisant sans quoi il n'y aurait pas de changement. L'être humain est ainsi fait que c'est souvent la souffrance qui le conduit au changement. S'il ne souffre pas d'une attitude, d'un état d'âme, d'une perspective à sa vie, pourquoi les changerait-il ? Pourquoi chercherait-il à se vivre autrement ? S'il n'éprouve pas la morsure de la souffrance de l'autre-en-soi, l'angoisse, la peur, la tristesse et la lourdeur de porter l'autre en lui-même, il risque de conserver cette attitude bien longtemps.

Depuis maintenant presque 30 ans, Serge se porte dans la vie au gré de l'autre-en-soi. Jeune, il a établi ses « héros » – le sportif, l'homme de décision et d'action, la performance. Puis, il a toujours réussi à calmer cet autre-en-soi parce que ses ressources et son énergie lui permettaient somme toute d'atteindre assez bien ses idéaux. Mais voilà qu'une série d'échecs cuisants l'assaillent de toute part, particulièrement dans sa vie personnelle – divorce, perte de ses enfants, dettes, etc. – et le privent de son énergie spontanée et de ses ressources faciles. Même s'il est défait et épuisé, l'autre-en-soi continue son œuvre d'évaluateur. Où est-il l'homme de décision et d'action, de performance et d'accomplissement ? Il est martelé sans cesse, écrasé sous l'anxiété et l'angoisse – fatigué par la lourdeur et la tristesse. Cela l'amène à questionner son attitude fondamentale de l'autre-en-soi. Cette période de crise lui aura cependant permis de remettre en question les avantages de conserver cette attitude fondamentale de l'autre-en-soi. Il accepta d'abandonner, de perdre les considérations de l'autre pour établir des rapports plus harmonieux avec lui-même et avec les autres – fussent-ils insatisfaits de lui.

La dynamique autre-soi est pleine de nuances. Les autres – autour de nous et en nous – ne sont pas toujours et automatiquement des obstacles à notre quiétude et à notre bien-être. L'autre évalue et juge mais l'autre reconnaît, accepte et confirme aussi. C'est justement à cause de cela qu'il représente en plus d'un évaluateur une source très importante de gratification et de satisfaction. Et plus l'autre-en-soi a créé et crée des satisfactions, plus la personne s'y attache et résiste à l'abandonner – ce sont évidemment ceux qui ont réussi et qui ont été applaudis par l'autre qui cherchent le plus à maintenir le regard de l'autre mais qui en même temps souffrent le plus de la perte de la reconnaissance et de l'acceptation de cet autre.

> Louis a toujours reçu les hommages des autres : chéri de sa mère, premier de classe, le plus beau pour ses copines. Il est celui qui plaît. Louis est *heureux*. Puis avec les années, il a perdu bien de ses avantages ; il doit maintenant bûcher pour se faire apprécier et ce n'est pas facile. Ses patrons ne reconnaissent pas ses travaux ; ses collègues questionnent sa compétence ; ses clients doutent de ses qualités professionnelles. Être celui qui plaît aux autres implique ne pas exister lorsqu'il ne plaît pas. Louis est *malheureux*.

L'autre-en-soi ou l'autre autour de soi peut donc être une grande source de satisfaction et de fierté en même temps que la plus sévère source d'évaluation et de honte – tout dépendant si la personne rejoint ou non les attentes de l'autre, en soi ou autour de soi, souvent démesurées ou idéales. L'être humain étant ce qu'il est, en soi limité et donc loin de l'idéal, l'autre-en-soi ou en dehors de soi risque davantage un jour ou l'autre de devenir un évaluateur et un juge plutôt que de demeurer une source de gratifications, de reconnaissance et d'acceptation. L'autre-en-soi éloigne nécessairement la personne de ce qu'elle est véritablement et de là, de sa position fondamentale de sujet : limité, séparé et en charge de sa propre vie.

Élargir son champs de perception

Comment ancrer encore plus solidement la conviction de l'importance d'être sujet de sa vie ? Comment devenir plus sujet de sa vie ? Il y a bien sûr le jeu de la conscience – à savoir conquérir à la conscience et pour l'usage de celle-ci plus de régions de la vie, plus du champ de la perception. Rendre accessible et disponible pour la conscience le plus d'étendue possible de la vie : c'est cela élargir le plus possible son champ de perception. Il y a aussi le jeu des raideurs et des scléroses qu'il faut défaire parce qu'elles étouffent, coincent et coupent la vitalité. C'est en fait prendre conscience de tout ce qui existe à l'extérieur de nous, de la vie qui bouge et que l'on veut goûter dans et sous chacune de ses facettes et pour cela augmenter le plus possible nos antennes pour la saisir en défaisant chacun des obstacles à son accueil.

Pour que la conscience fleurisse et que la subjectivité s'installe, pour devenir le plus conscient possible, il importe de laisser tomber la terrible sur-conscience de nous-mêmes – le regard trop porté sur notre « petite personne ». Toute la personne doit s'investir (ce qu'elle est dans son corps autant que dans ses idées, dans ses émotions autant que dans ses imaginations), sûrement pas seulement la « petite personne » soucieuse de sa réputation et de la justesse de ses rôles.

Devenir sujet de soi-même augmente par la recherche de ce qui est bon à vivre, peut-être encore plus particulièrement dans le domaine des relations avec les autres vécu comme lieu de tant d'objectivations et d'inquiétudes à propos des jugements et des évaluations possibles. Pour trouver le bon à vivre dans la relation avec l'autre, il faut parvenir à se détacher des jugements et des évaluations portés sur la personne par l'autre-en-soi ou le juge-en-soi impitoyable et exigeant, et pour favoriser ce détachement, cultiver et développer le sentiment d'*appartenance* de nos vies, de nos existences, de notre temps. La personne est propriétaire d'elle-même, de sa vie – elle lui appartient.

> Demain, lundi, jour de travail avec ces livraisons à faire toute la journée, d'un bout à l'autre de la ville. Mais le lundi c'est aussi mon jour à moi ; un temps de vie qui m'appartient et c'est à moi d'en extraire toute la vie. Personne n'a le droit de m'enlever cette vie. Mon patron réel ou imaginé ne peut rien contre mon bien-être de vivre mon lundi si ce lundi est à moi. C'est mon temps et c'est à moi de cultiver sa vitalité – en le vivant selon moi, selon mes ressources et mes capacités.

Nous avons étudié l'utilité de la subjectivité, les effets sur la personne de se sentir libre et satisfait de vivre, de se développer et de s'auto-déterminer tout en restant fidèle à soi-même dans l'édition antérieure du Goût de Vivre (1993). Le lecteur peut s'y reporter. Nous y analysons aussi les conditions de la subjectivité : se vivre au fond de soi-même, la confiance en soi et le style intérieur.

B) Le monde interpersonnel

Si une personne se nourrit de sa vie intérieure pour cultiver son goût de vivre, elle se nourrit aussi du monde extérieur, de la vie en dehors d'elle et surtout de celle qui se loge à l'intérieur d'une autre personne. La diversité incommensurable des êtres humains fait de chacun de ses spécimens une entité des plus stimulante pour le développement de l'émotion de l'intérêt et particulièrement souvent de l'intérêt à vivre.

Le monde de la relation humaine, celui de la relation qu'une personne établit avec les autres, est à la source de bien des goûts de vivre. Pour une personne, rien n'est plus intéressant dans le monde extérieur qu'une autre personne – rien ne réussit à susciter autant d'intérêt. La complexité, le mouvement, la densité et les changements d'une personne font que, spontanément, elle ne cesse d'intéresser et finalement de susciter du goût.

Parce que chaque personne représente pour une autre une source éminente d'intérêt à vivre, c'est à cet espace de l'autre que nous nous arrêterons maintenant – l'autre particulier donneur de vie, de vitalité, de goût de vivre.

Chapitre 11

Les autres

La vie est attirée par la vie. La vitalité se nourrit de la vitalité. Le goût de vivre s'énergise par la rencontre de l'intérêt à vivre. Or, le plus beau spécimen de vie, le vivant le plus dense de vitalité pour une personne humaine, c'est une autre personne humaine. Répétons-le, rien n'est plus stimulant, plus intéressant pour un être humain qu'un autre être humain.

Dans le métro tôt un lundi matin, Sam regarde autour de lui des travailleurs endormis qui reviennent du quart de nuit, et des hommes et des femmes qui se rendent préparer les bureaux et les usines pour la journée qui vient. Tant de variétés d'humains, de formes différentes, de visages divers ; tant de métiers, de corps particuliers, de postures diverses ! Sam s'étonne de voir tant de nuances chez les humains :

La très grande complexité des être humains (les plus diverses formes de vie et de mouvements corporels, intérieurs ou émotifs) ouvre l'expérience de chaque personne sur tout un monde – un monde sans cesse en activité, sans cesse créateur de nouveautés et de différences. Or, c'est justement le nouveau et le différent qui le mieux servent de stimuli extérieurs à l'émotion de l'intérêt chez l'humain[71]. Ainsi, une personne intéresse une autre personne parce qu'elle se renouvelle sans cesse et en cela elle diffère continuellement. Une personne régénère donc sans cesse pour une autre personne le stimulus de l'intérêt : la nouveauté.

LES BIOPHILES[72]

Certaines personnes possèdent plus que d'autres cette qualité de susciter la vitalité chez les autres. On les appelle les biophiles, les amis de la vitalité. Par leur façon particulière d'être, par leurs attitudes, ces personnes font vivre plus et elles encouragent les autres à vivre et à développer leur vitalité. Une personne biophile est une personne qui par sa propre vitalité suscite chez une autre ou chez les autres, la vitalité et le goût de vivre.

> Lorsque, à 54 ans, le comédien Charles Spencer (Charlie) Chaplin a rencontré sa quatrième épouse Oona O'Neill, 18 ans, il vivait ses heures les plus noires. Poursuivi par la commission des activités antiaméricaines, harcelé financièrement par ses anciennes épouses, Charlie Chaplin songeait au suicide. Mais Oona, par ses attitudes et ses manières d'être, a littéralement bouleversé sa vie. Plus tard, il raconte qu'enfin il avait trouvé une femme qui l'aimait pour lui-

---

71. Voir chapitre 4 : Le goût de la différence.
72. Le terme *biophile* est emprunté à Fromm (1964). Cet auteur l'utilise pour désigner l'adulte sain, aimant la vie et qui aide l'enfant à croître.

même et non pas pour sa gloire ou sa fortune. Il a eu huit enfants avec elle et avant de mourir pendant la nuit de Noël 1977, il confie[73] :

Tout comme Oona O'Neill, certaines personnes appellent les autres à la vie – c'est un fait incontestable. Elles réussissent à éveiller la vitalité chez ceux avec qui elles interagissent. Qui sont ces stimulateurs de vie ? Quels sont leurs caractéristiques ?

Des humains qui présentent leur humanité

La caractéristique la plus importante de ces personnes, c'est qu'elles sont elles-mêmes des êtres humains et qu'elles présentent et offrent encore plus à l'autre leur humanité. Qu'est-ce à dire ? Tout être humain constitue un spécimen de vie. Il est vie et vivant et de ce fait, il stimule le semblable, ce qui vit auprès de lui. Or, l'intérêt de l'un – cette émotion qui pointe la personne vers l'extérieur – rencontre la vie et la vitalité d'un autre ; l'un tire l'autre vers sa vitalité suscitant ainsi chez l'autre sa propre vitalité et son propre goût de vivre. L'élan vitalisant que la personne perçoit chez l'autre, elle en retrace en elle-même les prémisses ; elle se sent d'une certaine façon en parenté avec ce vivant – de là, elle risque de développer elle-même cet élan, de devenir elle-même en goût de vivre.

---

73. *Agence France-Presse*: Vevey Suisse – voir *La Presse*, 28 septembre 1991.

Fatigué et lourd, Pierre regarde à la télévision une entrevue avec une journaliste qui parle de son métier. Il perçoit chez cette femme un appétit de vivre qui d'abord l'étonne. Elle est d'une telle curiosité intellectuelle – elle veut tout connaître et tout comprendre. Elle parle aussi de sa relation avec ses amis. Pierre y voit tout le respect et la bienveillance qu'elle leur porte. Il remarque également combien sa qualité de présence et sa fierté d'elle transpercent l'écran. Il se dit : Puis lentement, il participe à distance à la vitalité de cette personne. Il s'énergise dans son rapport avec elle, là à la télévision. Il se lève, se sent ragaillardi et il plonge dans la correction des examens de ses étudiants.

La perception du lien de parenté avec la vie et avec l'humanité sert d'amorce à la « vitalisation » d'une personne par une autre. Une fois ce processus d'identification enclenché, le fait de se sentir semblable – de même nature que la personne chez qui jaillit la vitalité – entraîne la mise en conscience de sa propre vitalité et ensuite, du goût de vivre. C'est de cette perception, de ce ressenti et de cette mobilisation de la conscience sur le vivant en nous – c'est de tout cela qu'il s'agit lorsque nous parlons de participation de la vitalité de l'un au déclenchement de la vitalité de l'autre. Certaines personnes possèdent plus que d'autres cette facilité à déployer leur humanité et leurs qualités de vivants, et ainsi, à faire participer plus les autres au goût de vivre.

Je connais un homme heureux de vivre. Même à son âge avancé, il adopte des postures vitales qui me stimulent à continuer, qui me tirent vers la vie. Il a une façon d'être présent dans les situations qui fait qu'il en prend toutes les caractéristiques : il ne perd rien de ce qui est vivant. Tout cela coule doucement, sans effort, comme s'il avait dans toutes situations l'aisance, la fluidité et le mouvement d'un poisson dans l'eau. Lorsqu'il nous parle, il a toujours le bon mot, chaud et acceptant qui nous rend fier d'être ce que nous sommes. Lorsqu'il nous écoute, il est pleinement présent à ce que l'on dit ; s'il diverge d'opinion avec nous, il le dit simplement sans nous blesser en nous entraînant dans son souci d'authenticité. Je connais un homme, aussi précieux à mon humanité que le soleil l'est pour mon corps, et cet homme m'est précieux simplement parce qu'il est heureux de vivre.

Les personnes biophiles offrent spontanément ce spectacle de vitalité qui ne peut d'abord que rejoindre pour ensuite réveiller l'autre et l'amener à imiter lui-même cette vitalité. Cet autre arrive ainsi au goût de vivre.

Des allumeurs de vie

Les biophiles sont des allumeurs de vie. Leur vitalité est particulièrement perceptible à travers l'harmonie de leur mouvement dans la vie. Ces personnes paraissent se déplacer et bouger dans la vie sans jamais rester coincées ou bloquées dans le même et le routinier. Si elles doivent répéter certaines actions ou certains comportements, elles y manifestent toujours une présence qui transforme la répétition en une création – une présence qui invente et qui crée le nouveau et le différent même à l'intérieur du pareil, du même et du semblable.

> Maryse a beau préparer tous les repas de sa famille sept jours sur sept, et cela depuis de nombreuses années, à chaque fois, elle donne l'impression de faire quelque chose de neuf. Elle ne prépare pas ses repas, elle les crée. Elle est aussi intense et présente à rassembler les ingrédients qu'à les faire mijoter et à les servir. Elle se déplace dans tout ce travail comme de la musique sur une belle valse : elle est heureuse de cuisiner.

En réalité, la biophilie est une qualité que tous les êtres humains possèdent – au même titre que l'intelligence ou la sensibilité – mais que certains manifestent davantage. Certains l'expriment avec plus d'éclat et cet éclat éclaire ceux qui les côtoient. Les biophiles sont de grands vivants – amoureux de la vie et de toutes ses manifestations. Lorsqu'ils perçoivent la vie chez un être humain, le vivant le plus évolué, cette espèce si belle et si émouvante de vivants, ils ont spontanément tendance à l'encourager, à appeler son développement afin de le contempler encore plus. La personne qui fréquente un biophile ne peut pas s'empêcher de noter sa vitalité et de remarquer son amour vif de la vie.

C'est par sa complexité et son harmonie que la personne biophile intéresse l'autre, et finalement suscite chez lui du goût de vivre. D'elle, émanent toujours la complexité et l'harmonie de ce qu'elle est, mais elle reste toujours simple d'approche, humble. Dans chacune de ses interactions, l'autre sent en elle toute sa densité. Elle est pleine de vie – en tout et en chacune de ses ressources.

> Rencontrer Pierre, c'est se payer une douche de vitalité. Il a une de ces façons de présenter les choses qui fait qu'avec lui, tout devient intéressant et passionnant. La moindre petite activité regorge de possibilités. Sa densité de vivre nous contamine – il nous plonge automatiquement dans son tourbillon de vivre et son intensité d'exister.

Le biophile ne se gêne pas pour manifester sa spécificité et sa différence, mais il le fait toujours avec simplicité. Il est original parce que pleinement individuel et l'interaction avec lui, plus une transaction qu'une interaction, apporte tout un lot de spécificités puisqu'il est unique et qu'il le manifeste. Impossible de rester indifférent devant lui – son élan et sa tendance vers la continuité nous tirent nécessairement dans le même désir de vivre devenu projet. Il ne se lasse jamais de faire des projets et les ayant faits, il les donne aux autres – son intentionnalité débouche sur faire vivre les autres qui, par son action, s'ouvrent vers l'avenir.

> Louis possède une manière toute particulière de nous encourager à vivre en vivant

lui-même et en étant toujours en état de projet. Tout naturellement il nous tire vers la vitalité et fait en sorte que nous sommes spontanément happés par ses projets pleins de vie : des projets pour l'instant d'après comme à plus long terme. Il nous encourage – il nous met en courage tout en nous rassurant sur nos capacités. Il veut nous voir vivre. Que cela est bon et rassurant !

Le biophile est donc celui qui possède une facilité toute spontanée à mobiliser le bon et le vivant chez l'autre. En quelque sorte, le biophile trouve et nomme le bon chez l'autre. Il sensibilise ainsi l'autre qui, éveillé et attentif par la reconnaissance du bon en lui, est alors mieux disposé à recevoir. Il s'engage plus à écouter le biophile. De là, l'interaction avec le biophile est plus stimulante que n'importe quelle autre parce que maintenant le cœur, la sensibilité, sont présents. Cela permet à la personne de découvrir le précieux du biophile et de ressourcer alors en elle-même la vitalité.

LA RENCONTRE DE DEUX PERSONNES

« La condition la plus importante pour que l'enfant développe l'amour de la vie est d'être entouré de gens qui aiment la vie. L'amour de la vie est aussi contagieux que l'amour de la mort. Il se communique de lui-même, sans mots, sans explication et certainement sans sermon. Il s'exprime plus par des gestes que par des idées, plus dans le

ton de la voix que dans les mots utilisés… »
Fromm, 1964, p. 51.

La personne biophile aime la vie et parce qu'elle aime la vie elle peut spontanément déclencher la vie et le goût pour elle chez une autre personne. S'il est si facile pour le biophile de transmettre par sa manière d'être son goût de vivre, c'est qu'il possède également une facilité toute aussi particulière à entrer en relation, à rencontrer l'autre. Le biophile rencontre l'autre d'une rencontre véritable avec la personne de l'autre ce qui implique que l'autre n'est pas qu'un rôle, qu'un élément quelconque d'un système, qu'une personnalité mais que l'autre est une personne, pleine et entière, une unicité particulière que la rencontre vient confirmer dans cette unicité particulière.

Deux différences qui se lient et qui se confirment mutuellement

Une personne qui réalise et qui conscientise son unicité à travers la relation qu'elle établit avec une autre personne se sent profondément confirmée dans ce qu'elle est et par là, elle est encore plus – encore plus unique, encore plus elle-même, encore plus vivante, encore plus en goût de vivre. L'autre est là et nous appelle à vivre et à vivre notre unicité.

Tout être humain a besoin de se sentir confirmé, appuyé et reconnu dans son unicité et cela par un autre c'est-à-dire, par quelqu'un qui est différent de lui. Être confirmé dans ce que nous sommes, dans notre particularité comme humain, dans notre individualité allume la vie en nous, nous fait tendre encore plus vers la vie et ainsi nous amène à désirer continuer davantage. Tout se passe comme si la rencontre de l'autre, en nous confirmant, venait déclencher le processus de la vie et du vivant en nous et que, une fois cette vitalité déclenchée, la personne se sentait en goût de vivre. L'autre différent de nous mais en relation ne nous remplace cependant pas, il nous allume.

À 23 ans, Marie a déjà vécu des expériences humaines de toute nature et elle s'est façonnée d'une manière particulière. Malgré ses rôles d'étudiante, de citoyenne, de futur médecin, de fille et de sœur, émerge d'elle une personne originale, spéciale et unique. Pendant plusieurs années, portée par ses rôles, elle a tenté d'être la meilleure étudiante, la sœur la plus aimante, la fille la plus appropriée mais elle n'arrivait pas à mordre vraiment dans la vie. Puis un jour, elle a rencontré Philippe. Depuis le début de cette relation, elle se sent devenir de plus en plus différente, de plus en plus elle-même – avec elle-même et avec les choses de sa vie. C'est un peu comme une nouvelle naissance à elle-même. Elle pense que c'est parce que Philippe aime son individualité, son unicité et qu'il fait qu'elle se ressent ainsi : unique, spéciale et originale. Par toutes ses différences (d'homme, d'artisan, de milieu différent), par sa qualité d'autre et par la confirmation qu'il fait de l'existence propre de Marie, Philippe l'éveille au vivant, en elle et autour d'elle. Puisque, pour Philippe, elle vaut la peine d'être ce qu'elle est – que sa contribution particulière et personnelle à l'humanité vaut la peine – elle sera encore plus elle-même et sans cesse elle continuera. À partir de là, évidemment son goût de vivre fleurit encore plus.

Confirmer le différent dans son unicité, sa particularité et son originalité n'est cependant pas spontané chez la majorité des êtres humains. Le problème avec la confirmation du différent est effectivement que la tendance veut plutôt que ne soit confirmé que ce qui est conforme, ce qui est pareil. L'être humain est souvent menacé par l'unicité de l'autre – il cherche à l'oublier, à l'occulter et s'il la perçoit, il tente de la réduire à l'ensemble. Seul le biophile, lui-même énergisé par sa propre individualité, cherche à retrouver partout dans le vivant cette unicité. La rencontrant chez une autre personne, il la reconnaît, la nomme et la confirme. Nullement menacé puisque solidifié par sa propre unicité, il peut rencontrer l'individualité de l'autre, la contempler, et par le fait même, la confirmer chez l'autre et, lui-même, s'en nourrir.

Tant que Pierre cherchait les hommages et les considérations de ses confrères à travers ses travaux d'historien, il répétait et répétait les mêmes thèmes, les mêmes avenues et les mêmes valeurs que ceux-ci. Il recevait leur considération et pouvait gravir les échelons de sa carrière de professeur. Un jour il a décidé de à sa façon tout en respectant les méthodologies les plus rigoureuses et il s'est allié avec un psychologue pour fouiller encore plus les personnalités historiques. Cette originalité lui a d'abord valu une mise au ban par ses confrères historiens, puis cela lui a malheureusement coûté son poste de professeur. Mais après de nombreuses années de travail solitaire, un groupe d'anthropologues a reconnu l'apport tout à fait unique de Pierre pour la compréhension des êtres humains : l'étude historique détaillée des grandes personnalités d'une époque. Ainsi confirmé, Pierre est par la suite devenu un historien prolifique et de haute renommée.

C'est cette possibilité d'être confirmé dans ce que l'on est par une autre personne qui fait de la rencontre interpersonnelle une source indéniable du goût de vivre[74]. Cette confirmation se situe au cœur du ressourcement du goût de vivre par la rencontre interpersonnelle.

---

74. De la même façon, la non-confirmation, le rejet ou le blâme d'une personne dans son unicité et dans ce qu'elle est profondément est à la source de bien des misères et de bien des souffrances psychologiques – surtout lorsque le rejet de l'unicité d'une personne se fait pendant l'enfance, c'est-à-dire à un moment où la personne ne peut pas retrouver ailleurs ou autrement que par l'autre la confirmation d'elle-même.

ÊTRE ACCEPTÉ TEL QUE L'ON EST

Être accepté tel que l'on est… Cette phrase peut sembler bien anodine et d'ailleurs, elle est souvent affirmée sans trop de conviction. Pourtant, elle est si dense en pouvoir de vivre. Être accepté tel que l'on est – c'est la reconnaissance de notre particularité, de notre apport personnel à la vie, simplement comme nous sommes, avec ce que nous sommes.

> Lise s'étonne toujours du regain de vie qu'elle éprouve lorsque ses grands enfants viennent souper. Les plats qu'elle prépare sont simples mais ils reçoivent les hommages de ses enfants. « Y a juste Mom pour faire un vrai ragoût ! » lance Paul, souligne Marie. Lise sourit doucement et se promet que la prochaine fois, elle leur en préparera bien d'autres de ses bons petits plats.

Le biophile accepte l'autre tel qu'il *est*, ce qui ne signifie cependant pas qu'il le confirme dans tout ce qu'il fait – cela éloignerait le biophile de sa propre individualité, de ses goûts et de ses appréciations. L'autre est accepté et confirmé inconditionnellement dans son *être* mais cela n'implique pas qu'il est accepté et confirmé inconditionnellement dans son *faire*, dans toutes ses manifestations dont certaines sont peut-être même des déviations de son être-là (son *dasein*). Accepter et confirmer l'autre impliquent plutôt que le biophile va vers l'autre avec sa propre unicité, ses propres goûts auxquels ne correspondent pas nécessairement les conduites, les manifestations de l'autre. Cependant l'autre, dans son altérité et son ipséité, *est* ; cette existence est valable pour le biophile et elle l'est – juste parce qu'elle est là ! De plus, la vraie confirmation de l'autre contient assez de souci et de soin de l'autre pour impliquer, à certains moments, la lutte avec cet autre – le confirmer tout en s'opposant à lui. Bien sûr, la confirmation d'une personne peut se marier avec le refus de ses défauts, de ses petitesses – l'autre est accepté et confirmé malgré ses défauts et ses petitesses parce que cet autre n'est ni ses défauts, ni ses petitesses. L'autre est lui-même, être et existence.

> Souvent agacé par les tristes lourdeurs de son amie, Laurent la regarde avec un petit sourire malin. Il la connaît bien et il sait bien que s'il persiste, s'il dépasse son agacement, il retrouve toute l'affection qu'il ressent pour elle. Ses tristesses ne sont pas ce qu'elle est – ce ne sont que des manières de passer au monde *ce qu'elle désire* – l'attention de Laurent. Il connaît bien mieux et il l'aime tellement *celle qui désire*.

En somme, être accepté tel que l'on est par une autre personne signifie la confirmation de notre unicité et cela à partir de la propre unicité du biophile comme autre personne.

Le besoin de l'interaction humaine

Pourquoi les êtres humains sont-ils si sensibles à l'influence des biophiles sur leur goût de vivre ? L'importance d'une autre personne comme stimulant au goût de vivre s'explique au départ par un besoin fondamental d'interaction humaine.

Interagir avec l'autre fait partie intégrante de la nature humaine. Par la réponse à son besoin d'interaction, la personne se développe et croît. Elle précise ses qualités, nomme ses ressources et les fait fructifier. Mais privée d'interaction avec ses semblables, elle peut régresser et alors laisser en friche toutes ses belles potentialités. La légende des enfants-loups est un bon exemple, quoique limite, de ce danger de régression à l'animalité lié à l'absence prolongée d'interaction humaine. Par absence de contact avec d'autres humains, ces enfants perdraient leur capacité à actualiser leurs ressources symboliques – la parole, la pensée, l'intérêt social – pour revenir à des formes plus primitives d'adaptation liées à l'instinct[75].

---

75. Dans la mémoire populaire, les enfants élevés par les animaux perdent la plupart de leurs caractéristiques humaines pour prendre celles de l'espèce adoptive. Dans le film italien *Pain et chocolat*, les membres d'une famille d'aviculteurs choisissent dans leurs loisirs d'imiter les gestes, les postures et le caquetage des poules.

Un besoin propre à l'humain

Le besoin d'interaction humaine chez la personne n'est donc pas un besoin superflu, de luxe – il est propre à l'humain, et d'une certaine manière il le constitue. C'est de l'actualisation plus poussée de ce besoin mais aussi de la qualité de ses réponses que naissent la capacité symbolique et avec elle, le très grand pouvoir d'un être humain.

Le vivant humain s'est équipé d'une capacité particulière d'ouverture sur son milieu qui lui a permis non seulement d'entrer en contact avec son monde extérieur mais d'interagir avec lui et surtout, de l'utiliser pour maximiser sa vitalité – que pouvait-il choisir de mieux sinon un autre être humain pour interagir et alors maximiser sa vitalité ! Effectivement, comme nous le soulignions plus haut, système ouvert sur son milieu et sans cesse en mouvement afin d'augmenter la multiplicité de ses milieux, l'être humain nourrit sa propre vitalité à partir du contact avec ce qui, comme lui, a atteint un niveau maximal de vie dans l'échelle des vivants, c'est-à-dire *un autre être humain*. La complexité, la nouveauté et la haute forme de vitalité de l'un exercent chez l'autre un attrait irrésistible car c'est sa propre vie qui est augmentée par ce contact. C'est ce qui lui sert le plus pour continuer.

> Quand Brigitte pense à toutes les différentes facettes de vitalité que présente son amie Marjolaine, elle est pleine de joie. Du lundi matin au dimanche soir, chaque

semaine, chaque jour, chaque minute, Marjolaine offre un nouveau coin d'elle-même : son ardeur au travail, sa passion pour le cinéma, son sourire multiforme, ses chants stimulants, ses idées soulevantes – tout ce qui sort d'elle est apprécié et savouré par Brigitte. Quelle amie précieuse !

Comme deux systèmes en synergie

La rencontre entre deux personnes s'apparente et peut se comparer à la synergie qui se crée parfois entre deux systèmes qui s'articulent l'un à l'autre pour maximiser mutuellement leur force et leur productivité : un système ouvert, complexe et dense rejoint et s'harmonise à un autre système ouvert, tout aussi complexe et dense pour le rejoindre et s'y ajuster à son tour. Évidemment, les rouages ne se marient pas toujours harmonieusement. Les éléments peuvent se mêler, se fusionner et alors produire une perte d'énergie pour l'un ou l'autre des systèmes ou pour les deux. Mais cette disharmonie, si elle se présente, correspond beaucoup plus à la manifestation d'une défense, d'un manque d'ouverture, de l'imprécision qu'elle ne résulte de la nature même des systèmes. L'attitude de méfiance d'une personne face à une autre est un exemple de ce qui peut provoquer cette disharmonie à l'intérieur et entre les systèmes – des accrochages à l'intérieur du système qui viennent entraver le goût de vivre.

Louis-Georges se promène dans la vie avec une moue perpétuelle. Il rencontre les gens avec un déplaisir évident. Il se méfie et se répète sans cesse : en réalité, il craint tellement d'être blâmé par les autres qu'il blâme avant même d'être blâmé – particulièrement sur deux facettes si importantes pour lui-même : sa clairvoyance et sa lucidité. Au fond, il est insécure ; il ne se trouve pas si clairvoyant, ni si lucide que ça alors il se protège doublement avec une carapace d'invulnérabilité qu'il renforce encore plus en dévalorisant le jugement possible des autres : « Les autres sont trop stupides pour évaluer ma clairvoyance. » Ainsi l'interaction humaine le défait et l'épuise au lieu de le nourrir et de l'enrichir.

Avancer dans la vie comme un porc-épic – piquer avant d'être piqué – est tout aussi désavantageux que l'attitude inverse qui consiste à assimiler tout ce qui vient de l'autre et à disparaître soi-même à l'intérieur de cet accueil sans limite.

Lise fait confiance à tout le monde. Elle croit sur parole chaque vendeur et ne questionne jamais les motivations des gens. Elle engloutit une bonne partie de son salaire dans la consultation de diseuses de bonne aventure et de charlatans de tout acabit. Un artiste connu annonce un produit ; elle l'achète. Elle ne se résout pas à croire que les motivations humaines sont tout autant démoniaques qu'angéliques – tout autant égocentriques qu'altruistes. Lorsqu'elle constate qu'on a abusé d'elle ou de sa bonne foi, elle absolutise pendant un certain temps la méchanceté humaine, l'horrible sournoiserie humaine mais l'orage passé, elle finit toujours par reprendre son attitude naïve. Elle refuse toujours de prendre conscience du fait indéniable que des « démons » habitent en elle-même comme en chacun ; plutôt, elle se carapace et se défend de cette conscientisation en projetant son idéal de pureté dans les intentions des autres. Elle dit croire en l'humain mais au fond elle adhère à l'angélisme.

Un obstacle au besoin d'interaction : l'attente d'être aimé

Même s'il se définit et s'explique fondamentalement par la nature même du vivant, le besoin d'échange et d'interaction entre les humains n'en est pas moins souvent occulté, court-circuité ; trop fréquemment, la personne installe à sa place l'attente d'être aimée – d'être considérée par l'autre. La personne confond besoin d'interaction et attente d'être aimé – une excellente source du goût de vivre, et une attente qui risque plus souvent qu'autrement d'y faire obstacle. N'étant donc pas consciente que son véritable besoin se définit comme une facette du goût de la vie, la personne croit, à tort, que son « besoin » est d'être aimé. Elle déforme ainsi ses attentes et se prive en même temps d'une excellente source de croissance comme vivant.[76]

---

76. *Voir Note à la page 281.*

Parfois l'attente mène à l'interaction humaine mais trop souvent seulement lorsqu'elle est comblée, c'est-à-dire qu'à travers sa quête de réponse à une attente la personne arrivera à échanger avec ceux et celles qui l'aiment, l'admirent ou la considèrent. Cette attitude, attendre d'être aimé pour interagir avec les autres, peut cependant l'amener à se cacher et à se barricader derrière des défenses, des masques ou des carapaces tant qu'elle ne sera pas assurée d'être assez aimée, admirée ou considérée pour risquer de se présenter le vivant et la personne authentique. Elle se coupe ainsi d'une richesse à vivre.

> Revenant d'une randonnée à bicyclette, Gaétan, grand connaisseur de vélo, est approché à la porte de son domicile par un voisin qui, lui aussi, s'intéresse à ce sport. Gaétan connaît l'intérêt de son voisin pour le vélo ; il l'a souvent observé à ses départs en vélo. Son voisin l'approche et lui glisse quelques mots sur la marque de son vélo. Gaétan hésite à s'arrêter puis passe lentement près de son voisin en lui marmonnant quelques mots mais finalement, il ne s'arrête pas. En rentrant chez lui, il se sent mal : se dit-il. En pleine forme après sa randonnée en vélo, il aurait aimé parler des performances de sa bicyclette, des trajets qu'il a parcourus, des vitesses atteintes dans les descentes – et *il ne l'a pas fait*, tout concentré qu'il était sur son besoin d'être aimé. Comme il ne se croit pas aimé par ce voisin,

il se prive d'échanger et de cela, il s'en veut
– son organisme le blâme. Puis là, effondré
sur une chaise, il continue l'escalade : sûrement que ce voisin ne l'aime pas d'avoir pré-
senté une attitude si suffisante et si froide. Il
est doublement en déficit – pas aimé par ce
voisin et encore moins aimé par sa propre
attitude plutôt refroidissante..

Lorsque, comme Gaétan, la personne dénature son
véritable besoin, lorsqu'elle déforme la réponse possible, son organisme a tôt fait de s'abattre sur sa conscience puisque lui-même a été privé de ce qui est nourrissant, à savoir ici l'échange humain. D'une certaine
façon, c'est une bonne chose que Gaétan se sente
abattu et coincé – cela devrait l'aider à réajuster son tir
et, à l'avenir, à mobiliser son énergie pour répondre à
son vrai besoin : échanger avec son voisin. Évidemment, tout cela n'est pas facile.

Croyant faussement qu'il est absolument essentiel
d'être aimé pour échanger avec les autres, l'humain se
coince la conscience et se cache derrière une série de
masques. Voulant à tout prix être aimé, il cherche à ou à
se transformer pour être aimable aux yeux des autres.
Qu'est-ce que l'autre peut aimer ? La force, le pouvoir,
l'intelligence, la faiblesse, la déficience ? Quel que soit
l'hameçon pour attraper l'amour de l'autre, il va se
l'imposer et il le fera le plus souvent au prix du rétrécis-
sement de sa vraie personne. Coincée dans cette carapace, déformée par ce masque, la personne perd son
naturel et sa spontanéité ; ses ressources sont alors mal

utilisées. Ce qui est paradoxal, c'est qu'en cherchant ainsi à être aimable la personne risque de se rendre moins aimable.

> Jeannine est toujours à l'affût de plaire à ses collègues. Son sourire presque constamment figé sur son visage, elle se promène dans la vie. Elle sourit lorsqu'elle traverse la rue, elle sourit lorsqu'elle fait ses emplettes, elle sourit lorsqu'on la bouscule, elle sourit partout et devant tous. Elle souhaite tellement être acceptée et aimée qu'elle ne peut penser qu'à ça : établir des ponts avec les autres. Pourtant les gens qui la rencontrent la trouve bizarre : Qu'est-ce qu'elle veut ? Que se passe-t-il pour être ainsi si inapproprié aux situations ? Qu'est-ce que ce sourire figé ? Un rictus ? Elle passe même à côté de ce qu'elle cherche : plaire aux autres.

En se soumettant aux artifices de paraître selon les attentes des autres, en quémandant l'amour, l'être humain perd sa belle fierté d'être lui-même — et effectivement il se prive ainsi de ce qui le rendait aimable, en premier lieu, à ses propres yeux. Personne n'a de pouvoir sur l'amour d'une autre personne. Chaque personne doit parvenir à composer avec le fait inéluctable que son attente d'être aimé dépend de la liberté de l'autre — seul l'aimant peut agir son amour et cela gratuitement.

Le vrai besoin humain d'échange avec ses semblables émerge de capacités qui sont proprement humaines ; la personne a du pouvoir sur ce besoin. Elle peut par ses propres moyens y trouver des réponses comme par exemple, rencontrer d'autres humains, échanger avec eux, interagir et croître. Ici, le pouvoir lui appartient ; lorsqu'elle s'attend à « être aimée » des autres, le pouvoir ne lui appartient pas.

Depuis que Philippe a accepté que ce qui fondamentalement l'énergise le plus résulte de la rencontre et de l'échange avec les autres, son style de vie a bien changé. Antérieurement, il était gêné d'aller vers des étrangers, des nouvelles personnes. Il établissait alors des scénarios ou il répétait des rôles : séducteur avec les jeunes femmes, démuni avec les femmes plus âgées, conquérant avec ses confrères et bien d'autres, selon les situations. Plus il avançait vers de nouvelles situations, plus il devenait hyper-conscient de lui-même, de ses gestes et de ses paroles. Dans ces rencontres, il se sentait étriqué et faux. Même si à l'occasion il réussissait à impressionner, par la suite il repassait dans sa tête chacune de ses paroles et de ses gestes pour en vérifier les effets. Lorsqu'il se rappelait telle parole ou tel geste, des chaleurs lui montaient à la tête et il se disait : « Que ces situations sont pénibles ! » Ce n'est que très lentement qu'il a réussi à défaire son style qui consistait à vouloir l'amour et la considération des autres. Il en est finalement venu à réaliser qu'au fond ce qu'il aimait, lui, de ces rencontres nouvelles, c'était justement leur nouveauté. De nouveaux visages, des idées neuves, des façons différentes de vivre – cela était vraiment bon pour lui. Or, si ce *bon* pour lui importait, pourquoi tout ce rituel pour être aimé ? C'est en cherchant sans cesse à se rebaigner dans cette nouvelle attitude (prendre le bon des nouvelles rencontres) qu'il est arrivé à briser son vieux style. Par la suite, c'est à l'avance qu'il savourait la venue éventuelle de nouvelles rencontres ; pendant, il goûtait à toute leur nouveauté ; après, il se remémorait avec plaisir les différents moments et leur richesse.

Se calme et s'accepte davantage celui qui arrive à laisser aller l'acharnement à vouloir être aimé pour plutôt se centrer sur son vrai besoin, celui d'interagir avec ses semblables. Plus en contact avec lui-même (qu'avec l'autre) il se laisse appeler par la richesse de l'autre telle qu'elle est ; plutôt que de découper l'autre, d'isoler l'acceptation et l'amour de cet autre, de se concentrer sur cette facette de l'autre et ainsi de réduire l'autre à un donneur de considération, l'autre devient une personne entière à rencontrer et à découvrir. Les tensions s'estompent et l'énergie est récupérée – l'énergie qu'auparavant il mettait pour rejoindre ce qu'il fallait pour obtenir l'amour et la considération. L'énergie libérée, elle est mise au service de sa propre personne et pour interagir avec l'autre dans son ensemble.

LA CONFIRMATION PAR L'AUTRE : VALOIR LA PEINE D'EXISTER

Rien ne peut autant enraciner une personne en elle-même que la confirmation de son existence et de son identité par une autre personne – une autre qui affirme, dit et reconnaît qu'elle vaut la peine d'exister. Entendre, saisir et ressentir qu'elle vaut la peine d'exister et de vivre de la manière dont elle existe et dont elle vit *conduit* la personne à sentir qu'elle vaut aussi *sa propre peine* de vivre et d'exister, à ses propres yeux. Elle se donne alors la peine de valoir ; elle s'accorde la permission et le droit et ainsi, elle mord à la vie, à tout ce que lui donne la vie. Elle s'intéresse conséquemment à vivre et à valoir – à continuer encore à valoir, donc avoir du goût à vivre. Par sa confirmation, l'autre l'invite donc à vivre : et à continuer à vivre. Aussi courte soit-elle, l'invitation à vivre laisse un effet persistant sur la personne. Elle habite ses matins et ses soirs, elle la suit partout et la pousse vers le développement.

> Depuis quelques semaines, Serge éprouve une certaine lourdeur à vivre son quotidien – sa routine de travail et ses obligations lui pèsent. Il doit se pousser dans le dos et se bousculer sans cesse pour vivre et pour faire face à chacune de ses activités. Il s'essouffle sans cesse à contredire sa pente spontanée. Il est morose et triste. Un jour, une amie très chère lui dit : Serge se ressaisit et se rend compte de toutes les marques d'affection qui, effectivement, existent

autour de lui. Bien plus et surtout, il reconnaît ce grand geste d'amitié de son amie. C'est toute une parole d'amour que celle qui indique l'amour des autres. C'est un beau cadeau, impossible à attendre mais tellement bon à recevoir. Serge se sent aimable d'un tel amour. Il vaut donc la peine – il vaut sa propre peine de pousser sur son quotidien. Du coup, il cesse de transporter sa lourdeur – il s'ouvre davantage.

Valoir la peine d'être l'être particulier et unique que nous sommes

L'acceptation et la confirmation par l'autre élargissent et densifient la personne dans son être-au-monde et, conséquemment, dans son goût de vivre. Confirmée, elle vaut effectivement la peine d'être mais en plus la peine d'être ce qu'elle est dans ce qu'elle a de particulier et d'unique ; c'est le sentiment d'unicité qu'elle éprouve qui vient activer sa tendance vers la vie et alors son goût de vivre. La confirmation par l'autre vient favoriser chez une personne la perception intérieure de ses ressources mais aussi et particulièrement de leur caractère unique – le caractère original et unique de l'unité de ses ressources, de ses parties organisées en un tout unique, harmonieux et cohérent : ce qu'elle est, son identité. Son corps et son esprit s'associent ; ses idées et ses imaginations s'autogénèrent ; ses fantaisies et sa logique s'intègrent. La personne unifie et harmonise les secteurs de sa vie : son travail et ses loisirs, son érotisme et ses relations humaines. Confirmée, elle existe et elle est dans tout ce qu'elle est ; elle existe et elle est encore plus parce qu'elle vaut la peine d'exister et de faire exister tout ce qu'elle est – ce qu'elle est comme tout unique et unifié, bref comme personne.

Surpris et blâmé par sa mère pendant le jeu de découverte sexuelle avec une petite voisine, Jacques a bien vite et pour longtemps enfermé en lui-même cette expérience délicieuse du corps d'une petite fille. Rapidement, il a senti que pour ne pas perdre l'amour de sa mère il devait enfouir ce doux souvenir et le traiter comme une mauvaise partie de lui-même. Puis, tout au cours de sa vie, il a continué à refouler en lui toute sorte de fantaisies, d'idées et de pensées et à les ranger au même endroit que le souvenir de ce petit corps féminin. Finalement, aujourd'hui à 40 ans, il se vit comme divisé entre d'un côté, tout le monde montré de sa famille, de son métier et, de l'autre côté, tout le monde caché de ses fantaisies et de ses idées. Mais dernièrement, une de ses amies a commencé à taquiner la carapace respectable de Jacques tout en se montrant complice de l'univers de fantaisies de celui-ci. Surpris mais content d'une telle acceptation, Jacques se met graduellement à laisser paraître plusieurs éléments de son monde caché. À son grand étonnement, il réalise que ce monde peut très bien se marier à son monde ouvert si celui-ci s'assouplit. La reconnaissance de son amie le conduit à

s'unifier davantage en plus de jouir de
l'énergie de vivre antérieurement bloquée
par la répression de son monde caché[77].

Seul et séparé mais toujours lié, en relation

Comment expliquer cet étrange pouvoir qu'ont les
êtres humains de confirmer l'existence d'une autre personne et ainsi de permettre que cette reconnaissance
de soi par l'autre ouvre du goût de vivre, le goût de
continuer ? Même si tout être humain est fondamentalement seul et séparé, il ne peut pas prendre la plénitude
de son existence en dehors de l'interaction avec les
autres. Le développement et la croissance de ses ressources, de ses capacités et de ses énergies impliquent
cette interaction et cela même si la direction de ce développement et de cette croissance est et demeure toujours à l'intérieur de lui-même.

L'autre qui est d'abord réel, une vraie personne (et
souvent premièrement la mère), devient partie intégrante de la personne qui est confirmée ; elle l'intègre à
l'ensemble de sa personnalité et il devient ainsi un autre
à l'intérieur d'elle – un autre qui agit comme symbole.
Tout se passe effectivement comme si cette importance
de l'autre d'abord réel puis symbole à l'intérieur de chaque personne était neurologiquement programmée pour
servir comme feu vert au développement de plusieurs
de ses ressources. Le nouveau-né est déjà tout équipé

---

77. Vignette inspirée par Bugental (1976).

pour s'orienter vers ses congénères et répondre tout particulièrement aux riches stimulations qui viennent du visage humain. À travers le contact répété avec d'autres personnes il développe sa vision, son toucher et toutes ses autres capacités sensorielles ; par la multitude et la variabilité de ses contacts avec l'autre, il développe et déploie l'ensemble de ses capacités symboliques (représentations, images mentales, langage). Grâce à cette interaction, il s'ouvre à la vie en lui et autour de lui.

> Marjolaine tient dans ses bras son fils de deux mois. Elle le regarde tout envahie par la chaleur de ce petit être tout arrondi dans ses bras, la tête bien collée sur son épaule. Dès qu'il ouvre les yeux, Marjolaine saisit son regard comme pour le retenir à elle. Elle sourit et babille à l'enfant tout en le serrant plus fort sur elle. Elle est tellement contente de sa présence ; elle bouge la tête, marmonne des badineries, le brasse délicatement et seule la fragilité de l'enfant l'empêche de serrer plus fort son étreinte. Le petit concentre son regard sur le visage de sa mère et il insiste comme s'il explorait une nouvelle planète. Puis un léger sourire se dessine sur son visage – il baille et referme ses yeux. Marjolaine a ainsi permis à son fils d'exercer sa capacité de vivre.

Dans cette fine interaction entre la mère et son enfant, il serait abusif de présumer que c'est par amour pour sa mère que l'enfant oriente son regard et son sourire vers elle. Tout indique plutôt que c'est pour lui-même, pour son propre besoin qu'il le fait. L'enfant s'oriente vers sa mère et plus tard vers d'autres parce qu'il a besoin d'établir des liens et d'interagir pour se développer. L'enfant rejoint l'espèce humaine, s'« humanise » par ces premières interactions. À travers elles, il apprend à percevoir, à connaître et à ressentir – à se construire et cela, dès les premiers jours de sa vie.[78]

À ces premières interactions viendront s'en ajouter d'autres et encore d'autres à partir desquelles s'organisera progressivement tout un monde intérieur – c'est le système de l'autre-en-soi,[79] c'est à dire un monde intérieur peuplé de tous ces autres extérieurs significatifs graduellement devenus nôtres.

La mise en place de ce système s'explique par la nécessaire solidarité humaine pour la continuité de la vie. La personne se complète, se construit et continue la vie par la jeu de l'autre-en-soi. Et si la confirmation par

78. Voir Gouin-Décarie, T. (1980).
79. Le jeu de l'autre-en-soi peut se rapprocher de ce que certains auteurs appellent le sur-moi et d'autres, la conscience ou le parent critique. Le concept de l'autre-en-soi se distingue nettement des anciennes conceptions de la conscience humaine qui en fait réduisaient la conscience à un lieu entièrement et uniquement habité par l'autre. Jung (1964) souligne par exemple que pour nos ancêtres lointains, c'était la voix des dieux en eux qui seule dirigeait leur vie, motivait leur choix, etc. L'être humain est cependant tout autant séparé que lié, tout autant à part qu'une part – lui-même et en solidarité. L'autre devient une partie de lui-même par la solidarité, mais une partie seulement.

l'autre est donneuse de valeur d'exister, de droit et de goût de vivre, c'est en partie parce qu'elle vient éveiller le pendant positif du système autre-en-soi, à savoir son caractère interne acceptant – elle nous aide à nous accepter et à nous confirmer nous-mêmes plutôt que de nous accabler d'auto-reproches ou de blâmes – prototype du pendant négatif de l'autre-en-soi. Libérée du reproche, la personne s'éveille à ses potentialités et à ses possibilités.

> Lorsque Maryse raconte son emploi du temps à son frère, elle a l'impression de parler en écho. Il y a d'abord ce qu'elle fait effectivement de ses journées, puis il y a comme quelqu'un, un juge en elle qui lui dit : « Ce n'est pas assez ! Ça manque de qualité ! Tu devrais te forcer un peu plus ! » ou d'autres invectives semblables. Elle se sent toujours obligée de répondre à cet écho – et comme pour se justifier, elle ajoute sans cesse des explications à la description de ses tâches : « J'ai rencontré deux de mes patients, mais tu sais, avec le ménage de la maison, je n'ai pas beaucoup de temps. J'ai réussi à laver ma vaisselle mais tu sais, avec les enfants, c'est pas facile de garder la maison propre ». Devant ses multiples justifications, son frère s'étonne : « Mais voyons Maryse, c'est tout à fait bien ce que tu fais ! Pourquoi tu t'en fais à ce point là. Tu es bien correct, ma petite sœur ! » Maryse ressent une bonne détente et comme un petit sourire intérieur : « c'est vrai que tu es correct,

ma Maryse », qu'elle se dit ; « Arrête donc de toujours exiger de toi ! »

En somme parce que la personne s'est construite à travers le lien avec une autre (que cette interaction lui a permis d'accéder à l'*homonisation* et de s'orienter vers la vie), elle restera toujours liée et elle cherchera toujours à préserver ses liens. L'autre n'est donc pas simplement un quelconque, un stimulus parmi d'autres — l'autre est catalyseur de l'élan vers la vie en soi et en dehors de soi, dans le non-moi.

L'EXPRESSION VERBALE DEVANT LES AUTRES : CRÉATION DE SOI-MÊME

S'exprimer, c'est exister, se mettre au monde. S'exprimer devant une autre personne permet d'arriver à l'existence ; se sentir partie prenante de l'existence, c'est se garantir du goût de vivre.

> Après avoir donné son cours, quand elle a réussi à bien présenter son idée, Louise aime bien ce sentiment de plénitude qu'elle éprouve. Par l'explication de son idée, elle ne s'est pas vidée la tête ; elle s'est remplie de présence à elle-même : elle est bien et contente même si elle est fatiguée. Tout se passe comme si un coin d'elle-même était avant son cours silencieux ou muet et que maintenant après le cours, il est tout illuminé et il regorge de nouvelles idées. Louise a hâte à son prochain cours.

Se créer soi-même en s'exprimant ; l'impact de l'autre

La personne qui s'exprime se crée au fur et à mesure de son expression. Elle s'exprime pour se créer elle-même mais du coup, elle réalise l'impact qu'elle crée sur l'autre. Voyant et percevant ainsi l'effet de son expression sur l'autre, la personne s'engage et s'encourage encore plus à puiser dans ses ressources, à les mettre au monde et à les exprimer dans la réalité. La personne s'exprime, l'autre l'écoute ; par son écoute, l'autre encourage la personne à s'exprimer encore plus – à se mettre encore plus au monde.

> Ces longues conversations entre Claire et France pendant lesquelles chacune se raconte ; chacune se raconte encore plus à mesure que l'autre l'écoute ! Il y a comme un effet d'entraînement. Quelles belles soirées elles ont passées à se dire, et à s'exprimer ! Elles sortent toujours de leurs rencontres comme si elles étaient toutes neuves : de bonnes vieilles amies mais chacune toute neuve d'existence.

Une personne qui s'exprime a donc avantage à être écoutée car l'écoute de l'autre participe à la création de son expression, à la création d'elle-même.

Par exemple, Martin Buber[80], penseur existentiel connu pour ses travaux sur les relations interperson-

---

80. Voir Freidman, Maurice, 1983.

nelles, souhaitait toujours que les auditeurs présents à ses conférences posent le plus de questions possibles. Loin de se vivre comme porteur de La vérité, Buber entendait par là qu'à chacune des questions posées correspondait une réponse à inventer. Chaque question lui permettait de créer une idée nouvelle, des idées qui n'existaient pas avant. Chaque question posée devenait pour lui une occasion de s'inventer, de se créer lui-même – la réponse ne pouvait advenir que dans la mesure où il y avait eu une question.

L'expression de l'un rejoint l'expérience de l'autre

S'exprimer signifie manifester son être – le manifester en le créant et en l'inventant au fur et à mesure. S'exprimer devant l'autre devient manifester son être en souhaitant rejoindre par là l'être de l'autre. La relation devient source de création de soi-même, d'invention, lorsque l'expérience[81] de l'un est rejointe et touchée par l'expression de l'autre ; c'est cela qui amène l'élargissement de l'être. L'expérience qui au départ est implicite, non formée et imprécise, prend de la forme et s'explicite parce que la parole de l'autre favorise le passage de la prise de conscience chez la personne qui alors, touche à son expérience, l'explicite et ainsi élargit son être.

Par leur expression (par exemple en écrivant, en peignant ou en composant de la musique ou des chansons)

---

81. Voir Gendlin, (1962).

certaines personnes vont plus facilement que d'autres rejoindre l'inconscient ou certains archétypes inconscients des autres (par exemple de ceux qui aiment leurs écrits, leurs toiles, leur musique ou leurs chansons). La popularité n'est alors pas le simple résultat de la présence répétée de la personne populaire mais beaucoup plus la conséquence complexe de la qualité du créateur ou plutôt de sa capacité à rejoindre son propre inconscient (en nommant son expérience) et ainsi, celui des autres.

> Plein de tension et de mal-être, Philippe décide d'écouter de la musique. Il choisit le *Requiem* de Fauré. Lentement, cette musique l'habite comme s'il en devenait lui-même l'auteur en train de la créer. Toute cette douce tristesse et cet appel au repos éternel ! Fauré lui permet de mieux se ressentir. Il peut vraiment souhaiter la lumière perpétuelle ; il peut vraiment vouloir être libéré de ses misères. La musique de Fauré, en suscitant son vouloir, l'a délivré du chaos qu'il éprouvait avant de l'écouter.

Par ses expressions, tout être humain est d'une certaine façon créateur de l'univers intérieur de l'autre. Ce faisant il précise en lui-même sa propre vitalité – il la conscientise et il la ressent plus. S'exprimer devant les autres, finalement, c'est se créer soi-même en créant des liens et à travers ces liens, s'exprimer encore plus, se sentir confirmé. S'exprimer c'est se donner du goût de vivre[82].

Dans le contentement sain de soi-même, la personne sait et accepte qu'elle est ordinaire, comme tout le monde, limitée. Elle vit autant avec ses qualités qu'avec ses défauts. Elle intègre les deux, qualités et défauts, dans un concept de soi réaliste : elle n'est ni toute bonne, ni toute mauvaise – elle est un peu des deux. Elle est ordinaire, c'est-à-dire tout à fait capable de certaines choses et incapable de d'autres. Elle peut aimer ses qualités et haïr ses défauts mais au niveau de la représentation qu'elle se fait d'elle-même les deux sentiments (aimer et haïr) s'unifient dans l'estime qu'elle se porte.

L'amour pour les autres naît de cette intégration entre l'amour et la haine et de l'estime de soi qui en résulte. Cette intégration ouvre toute grande la porte à la capacité d'aimer les autres. L'amour des autres n'est donc aucunement diminué par le contentement de soi. Bien au contraire, il fleurit et obtient sa pleine qualité que chez la personne qui s'estime vraiment. Celui qui s'estime voit en même temps s'élever sa capacité d'aimer.

---

82. Dans l'édition de 1993 du *Goût de Vivre*, nous avons complété l'analyse de la subjectivité comme source de l'intérêt à vivre, en expliquant comment la personne biophile suscite le goût de vivre de ceux qu'elle rencontre par la force de son regard, de sa parole et du soin pour l'autre. Nous avons aussi montrer l'importance de devenir son propre ami, de briser les murs de l'indifférence et de devenir content de ce que nous sommes. Le lecteur intéressé peut s'y reporter.

Le monde interpersonnel, lieu de la rencontre avec l'autre, est une source importante de goût de vivre. Les autres mais plus particulièrement certains autres, c'est-à-dire les biophiles, suscitent et favorisent chez les personnes qui les entourent une capacité à aimer la vie et une capacité à s'aimer soi-même qui une fois intégrées font d'elles (de ces personnes) de nouveaux biophiles – de nouveaux biophiles qui à leur tour sauront favoriser capacité d'amour pour soi et capacité d'amour de la vie chez d'autres personnes, puis d'autres…

Capable de s'aimer, la personne devient spontanément encline à aimer la vie et les autres comme à recevoir d'eux sans leur faire obstacle toute la vitalité et tout le désir de vivre qu'ils offrent. S'aimer, aimer les autres, se laisser aimer par eux – c'est aimer la vie mais c'est aussi la merveilleuse trilogie des relations humaines harmonieuses, celles qui garantissent du goût de vivre simplement parce qu'elles se jouent et se continuent entre plusieurs et différents biophiles.

C) Le monde matériel

Après le monde de soi-même et le monde des autres, le monde de la matière, des choses – troisième source de ce qui se manifeste vivement, le goût de vivre. Le monde matériel, c'est le monde physique. Ce monde peuplé d'un côté par tous ces objets fabriqués par les humains et de l'autre, par chacun des éléments de la nature. La simple existence de ces objets, choses et éléments, est une promesse de goût de vivre, en est une source potentiellement débordante. Si une bibliothèque bien fournie est une promesse de connaissance, à condition de s'y rendre, d'en emprunter les livres et de les lire ; le monde matériel est promesse et potentialité de plaisir et de goût de vivre à condition d'y participer. La personne qui participe au monde matériel, le rencontre, le confronte si nécessaire pour en saisir et en accueillir toute la vitalité.

Comme fil d'Ariane, la *beauté* – elle devrait permettre de cheminer sans s'y perdre à travers le labyrinthe de l'immensité et de la multiplicité des variables du monde matériel. La beauté favorise l'unité des points de vue et de cette façon elle facilite effectivement l'exploration de l'ensemble du monde matériel et physique comme l'examen de l'interaction entre la personne et lui. Tout en pointant les sources de goût de vivre, nous tenterons de décrire (faute de pouvoir en fournir une définition cartésienne) ce qu'est la beauté.

Nous examinerons ensuite ses effets sur la personne et son goût de vivre pour finalement traiter des moyens par lesquels une personne peut en venir à développer sa capacité à saisir la beauté, à la rencontrer et à l'accueillir.

CHAPITRE 12

La beauté

Qu'est-ce que la beauté?

Peut-on cerner l'essence de la beauté à travers une seule et même définition qui serait universelle et applicable à toutes les choses physiques et matérielles? Peut-on par une définition unique saisir et enfermer le concept de la beauté? Depuis le début de la pensée humaine, philosophes et penseurs[83] n'ont pas cessé de chercher une définition de la beauté qui pourrait convenir à tout ce qui est beau. Leurs multiples efforts n'ont cependant malheureusement permis que de cerner une ou l'autre de ses innombrables facettes. Et la beauté, cette merveille, en ressortait toujours aussi insaisissable qu'avant, indéfinissable.

Il est donc inutile de répéter en vain ces efforts. La beauté ne se laisse pas trahir par des mots et des concepts. Insaisissable dans son essence et indéfinissable dans son ensemble, elle se laisse goûter et au mieux décrire. La beauté impose par elle-même ses propres limites. Nous tenterons donc de la décrire plutôt que de la définir, de présenter certaines de ses facettes plutôt

---

83. Par exemple, les efforts de Platon, Pythagore, Aristote, Von Schiller, Kant (voir Thinès, L'empereur, 1984).

que de la restreindre et de la réduire en voulant synthétiser toutes ses manifestations à l'intérieur d'une seule et même idée ou concept.

Tout être humain a plus ou moins fréquemment l'occasion de vivre l'expérience de la beauté. Devant d'autres vivants (des végétaux, des animaux), devant d'autres corps humains, devant des spectacles de la nature ou encore devant des objets fabriqués par les humains (des peintures, des sculptures, des bâtisses, etc.) chacun de nous peut éprouver un sentiment bien défini qui suscite une expérience esthétique et qui se traduit le plus souvent par une expression verbale que l'on retrouve dans toutes les langues : . Cette expérience esthétique suscite du plaisir, celui d'être en vie, du goût de continuer à vivre, du goût de vivre.

Connaître ou ressentir des expériences esthétiques diverses est accessible à tous – c'est une chose ; mais savoir ce qui les allume et ce qui les suscite, en est une autre. Qui peut répondre ? Pour un, – la beauté doit être vécue et goûtée telle quelle dans sa présence et son immédiateté peu importe les causes. Pour l'autre, « les goûts ne se discutent pas » – ce qui est beau pour l'un ne l'est pas nécessairement pour un autre, alors à quoi bon en chercher les causes, c'est tellement relatif. Et quand certains essaient de proposer une réponse, il est facile de montrer que cette réponse ne s'applique pas à telle expérience esthétique bien particulière. Quoi faire ? Rester constamment conscient que l'analyse exhaustive de la beauté est en soi impossible, mais tenter quand même d'en dégager les principales particularités et les caractéristiques les plus marquantes.

La forme

> La terre était sans forme et vide.
> Et Dieu sépara la lumière de la noirceur…
> Et Dieu vit que cela était bon. Genèse, I, 1-10

La beauté, c'est la mise en forme de la réalité. Si, d'une certaine façon, la laideur déforme la réalité, la beauté l'informe, la met en forme. Or la forme, c'est ce qui donne à une chose son essence ; c'est la nature essentielle d'une chose comme distincte de la matière dans laquelle elle est incorporée. C'est par la forme que nous reconnaissons les choses. Sans la forme, c'est le chaos, l'imprécis, le mélangé. La forme d'une chose est donc fondamentalement sa beauté. Évidemment, certains êtres, choses ou objets, ont plus de forme que d'autres, une meilleure forme ou encore une plus grande complexité de formes – c'est ce qui expliquerait pourquoi ils suscitent en nous une expérience de beauté : nous reconnaissons la qualité de leur forme et en cela, leur beauté.

> Depuis des mois Pierre accumule dans son sous-sol, vieux meubles, boîtes de toutes sortes, outils et pièces de bois au point qu'il n'est plus capable de s'y déplacer. Tout est en désordre et il ne retrouve rien au point tel qu'il est dangereux d'y circuler. Un jour, il se décide à faire du ménage. Il range ses outils, jette les choses inutiles, place dans des

boîtes ce qu'il veut conserver. Il range et se fait de la place. À la fin, contemplant son œuvre, il constate que c'est vraiment beau. Il a donné une forme – il a fait un sous-sol avec ce qui n'était qu'un fouillis chaotique d'objets.

Il en est ainsi, lorsque la matière prend une forme, elle devient belle, ou plus exactement, sa beauté est susceptible d'être perçue.

Ainsi, si nous poussons à son extrême généralité toute expérience de beauté, nous pouvons affirmer que la forme est la beauté dans son sens le plus universel. Là où il y a forme, il y a beauté et là où il y a beauté, il y a forme. Cela nous permet donc, sans la définir véritablement, d'expliquer en partie toute beauté ou la beauté en tout : la forme donnée à la matière la rend belle quelle qu'elle soit.

Chaque fois que je retrouve la forme, dans la nature ou dans un tableau ou dans une sculpture, ou dans un visage ou dans un corps, je ressens l'expérience de la beauté. Et alors j'exprime un grand cri, juste pour moi-même et pour ceux chez qui j'aime éveiller cette même expérience.

La beauté est un phénomène universel. Elle ne se limite à aucun art, à aucune chose ou à aucun objet. Cet universel, c'est la forme – la bonne forme, la forme harmonieuse qui sied bien à cet art, chose ou objet. Et le simple fait de s'arrêter pour contempler cette bonne forme donne du goût de vivre.

La beauté peut se retrouver partout. La beauté est dans la vie. Et si en contemplant cette beauté présente un peu partout dans la vie la personne développe son goût de vivre, c'est parce qu'une vie habitée par la beauté est une vie qui vaut la peine d'être vécue – puisque la beauté existe, puisqu'il est possible de la contempler et de répéter à l'infini cette contemplation, vivre vaut la peine. Cela vaut ma propre peine de continuer à vivre parce que vivre me permet de répéter cette expérience de beauté, de la retrouver encore et encore pour la recontacter. Recontacter ce spectacle de la beauté. Nous voulons voir se répéter les expériences de beauté ; vouloir voir se répéter ce qui est bon comme la beauté augmente notre goût de vivre.

> Lorsque je me promène en forêt l'automne, j'éprouve un sentiment de sérénité et je voudrais que ces instants durent toute l'éternité – ne s'achèvent jamais. Si toute cette sensation de la beauté pouvait continuer et continuer et continuer… J'en ressors toujours comme si je venais de prendre un bain de vitalité.

Ainsi trouver, contacter et goûter la bonne forme, la beauté, où qu'elle soit, d'une certaine manière, informe la personne elle-même – lui donne elle-même une forme, une beauté. D'ailleurs l'expression populaire « se sentir en forme » renvoie en fait plus souvent qu'autrement à « se sentir en beauté ».

Une forme qui sied à une matière, une forme appropriée à une matière et voilà la beauté. Voilà l'ordre et l'harmonie nécessaires à la beauté – ordre et harmonie, l'essence même de l'expérience de la beauté, celle qui sert la continuité de la vie.

Mais qu'est-ce qui détermine si une forme est ou non appropriée ? Qu'est-ce qui fait qu'elle est harmonieuse et qu'ainsi elle suscite de l'ordre ? Seule l'expérience de la personne peut permettre de déceler s'il y a ou pas harmonie. Il y a harmonie lorsque la personne éprouve un sentiment de paix intérieure, de sérénité. La personne ressent comme un bonheur devant la manifestation de la beauté. Elle discerne alors la forme harmonieuse de l'objet, de la chose comme ce qui vient calmer son bouleversement intérieur et lui apporter (à cet intérieur) ordre et paix. Le chaos intérieur, le désordre émotif, la bousculade de l'intrapersonnel cessent et la paix s'installe.

> Paul est tout triste, complètement défait par la mort de sa tante tendrement aimée. Il est déchiré et se sent prêt à éclater de peine et de colère – la peine et la colère d'être privé de la chaude présence de cette tante qui en fait était devenue pour lui une véritable amie. Il décide d'accompagner son sentiment de deuil en écoutant le Requiem de Mozart. Lentement la belle musique le rejoint – les chœurs attaquent et crient leur demande de paix puis s'adoucissent pour laisser la place aux cordes. Paul est submergé par tant de beauté ! Il a toujours sa peine mais il se sent tellement plus harmonieux, en paix avec lui-même.

L'expérience de la beauté est fondamentalement subjective. La beauté est une expérience éminemment individuelle, personnelle car nous sommes seuls pour la goûter et la savourer afin de se donner à travers elle le goût de continuer, de vivre. Le critère déterminant à propos de ce qui est beau réside donc à l'intérieur même de la personne, de chaque personne, de sa perception individuelle et unique de ce qui est beau. En effet, même si à cause des lois universelles de la connaissance et de la perception, plusieurs personnes peuvent partager sensiblement les mêmes critères de la beauté, il n'en reste pas moins que chaque personne possède pour elle-même des critères individuels d'ordre et d'harmonie pour les choses et les objets – des critères qui lui sont propres et qui lui apportent, à elle-même, ordre et harmonie.

> Quelle belle cuisine que Louise s'est donnée ! Du blanc partout – sur les murs, les armoires, le plafond et seule une petite ligne de vert qui traverse le tout – c'est comme la pureté d'un champs de neige avec des petits bouts de printemps vert qui percent la neige. Puis Louise sourit. Elle se rappelle la cuisine de sa mère, de tout ce brun et ce jaune. disait sa mère. Qui peut vraiment dire : telle mère, telle fille. Louise a besoin de fraîcheur dans sa cuisine et sa mère, de sécurité et leur goût de la beauté suit leur besoin.

Forme simple ou forme complexe, la bonne forme reste l'essentiel de la beauté. Forme simple peut facilement devenir forme complexe – à partir d'un seul trait, d'un son, d'une couleur plusieurs autres formes peuvent venir s'ajouter et la forme simple initiale devient ainsi de plus en plus complexe, de plus en plus pleine pour finalement nourrir encore plus le contentement de l'observateur qui la contemple.

> Lorsque Louis a commencé à aimer ce concerto pour violon — c'est d'abord quelques notes qui l'ont étonné : cette descente rapide puis ce silence. À la longue pourtant c'est tout le concerto qu'il a savouré. Quelle beauté ! Ce thème premier qui est repris et repris avec toutes les nuances possibles — puis ensuite morcelé pour être rassemblé autrement. Que de contentement devant toute cette complexité !

Forme simple devient forme complexe et généreuse, mais aussi forme multiple. Le monde physique déborde d'infinies variétés de formes, de couleurs, de manières d'être des choses. Cette richesse extrêmement diversifiée se contemple et se savoure. Elle suscite sans cesse le contact avec notre propre densité comme être humain et avec nos multiples et variées manières d'être-au-monde. Par exemple, la chaleur du soleil nous amène à entrer davantage en contact avec la texture de notre peau, avec nos ressources tactiles qui nous permettent de percevoir et de sentir cette chaleur et cela quelquefois en contraste avec la perception d'un vent frais. Nous varions notre perception du monde en fonction des multiples formes d'un objet qu'il présente — nos états d'âme changent selon les différents jeux de la lumière, du soleil à la noirceur. Cette abondance de formes qui varient, soutient la constance de notre intérêt qui ainsi ne fléchit pas.

Le monde physique, particulièrement la nature, est donc habité par une telle densité de vie – qu'il s'agisse du nombre ou de la variété des chants d'oiseaux ou qu'il s'agisse des sortes de végétaux – qu'à son contact tous les instruments de perception, tous les sens d'une personne sont sans cesse appelés à s'exercer. S'arrêter et prendre conscience de toute cette vie autour de soi suscitent la prise de conscience de toute cette vie à l'intérieur de soi et alors, le goût de continuer pour les apprécier encore plus. L'harmonie, la variété et souvent la vitalité du milieu extérieur et physique suscitent le goût d'un contact sensoriel de plus en plus constant avec lui et augmente ainsi le sentiment de vitalité à l'intérieur d'une personne. Les sources de beauté sont si nombreuses qu'il nous est presque toujours, et avec une certaine constance, possible de les saisir pour en faire naître des expériences esthétiques, véritables sources de goût de vivre.

Mais si la beauté, la belle forme harmonieuse et ordonnée, peut se retrouver partout et avec une certaine constance ; sa contrepartie, l'absence de forme, le chaos, le désordonné existe également. Qu'en est-il exactement ? L'absence de forme, le chaos, le désordre et l'imprécis – c'est d'une certaine manière ce qui crie pour se former, pour se préciser, pour prendre une forme, un sens – c'est ce qui attend la mise en forme, un ordre, un patron. C'est cependant de cet informe et de ce chaos que peuvent naître la forme et de là, la beauté. La forme naît de l'informe et la beauté, du chaos. Et ce sont les créateurs qui, mieux que quiconque, peuvent permettre ces naissances inusitées.

Les créateurs possèdent une habileté toute particulière à trouver de la forme dans le chaos, à mettre des formes, à créer la forme là où c'est informe – et donc, à créer de la beauté. La créativité mène à l'expérience de la beauté, à cette forme harmonieuse née de l'imprécis et de l'informe. Les gens créateurs sont étonnants. Présentez-leur le chaos, ils sauront l'ordonner, en faire quelque chose[84].

Cette attitude spécifique des créateurs face au vide et au chaos est d'autant plus étonnante qu'elle diffère totalement de celle que l'on retrouve chez la majorité des gens. Placé devant le chaos ou le vide ou l'informe, le commun des mortels éprouve au moins un malaise sinon de l'anxiété, de l'angoisse ou de la peur et parfois même de la panique qui le plus souvent le pousse ou bien à fuir, ou bien à remplir le vide ou bien à organiser rigidement. Le créateur réagit tout à fait autrement. Chaos, informe et vide ne suscitent ni angoisse ni panique mais constitue un véritable (et tentant) défi à relever – un appétit de créer, d'inventer quelque chose, de deviner et de donner une forme, un ordre nouveau. Du rien

---

84. Voir les études de Barron (1968) sur la créativité.

informe et chaotique le créateur fabrique forme harmonieuse et ordonnée, beauté.

Prenons deux exemples limites : d'un côté celui de Michel Ange[85] et de l'autre, celui des blessés cérébraux de Goldstein[86]. Pour Michel Ange, comme nous le disions plus haut, chaque bloc de marbre comportait en lui-même une forme emprisonnée à libérer. Devant son bloc de marbre chaotique et informe, il se déplaçait, le regardait et y devinait une forme particulière : un genoux dans ce coin, une épaule dans l'autre, etc. Son défi était alors de confronter son marbre pour y faire naître la forme devinée. De la dureté brute et de la rugosité imprécise d'un bloc de marbre, il faisait naître une forme harmonieuse, une beauté indescriptible donnée en héritage à l'humanité. Par ailleurs, pour les blessés cérébraux de Goldstein, le moindre désordre aussi minime fut-il était totalement insupportable. Le moindre déplacement de l'ordre habituel des choses concrètes – comme par exemple un objet déplacé sur la table de nuit – soulevait une grande anxiété et parfois même une panique. Tout désordre était pour eux une source imprenable d'angoisse ; ils ne pouvaient absolument rien en faire et encore moins en créer quelque chose, une chose nouvelle[87].

---

85. Voir Jansom (1986).
86. Goldstein (1940) a étudié des vétérans de la guerre 1914-1918, blessés au cerveau par des éclats d'obus. Il a remarqué chez ces personnes une absence presque totale de sécurité en leurs capacités.

Pour que le chaos soit mis en forme, encore faut-il posséder une certaine sécurité fondamentale en ses ressources mais aussi vouloir et aimer confronter la résistance et l'opposition premières à la naissance de la forme et de la beauté. Pour celui qui connaît et qui a foi en ses ressources, la résistance qu'offre l'informe, le chaos, ou encore la difficulté de la réalité qui résiste à la mise en forme, suscite du goût de vivre – le goût et l'élan de mettre de la forme.

Un créateur de beauté possède aussi une facilité étonnante à prendre une forme déjà existante et à la transformer. Il peut ainsi prendre une forme, la défaire et la refaire de manière à créer une nouvelle forme, souvent plus nuancée et plus complexe que la première. On peut par exemple penser à la célèbre tête de taureau de Picasso – un siège de bicyclette et ses poignées renversées qui deviennent une tête de taureau. Picasso prend une forme déjà existante (bicyclette), la transforme (renverse les poignées) et ainsi crée une forme tout à fait autre, plus complexe (une tête de taureau ; le siège : la tête et le museau ; les poignées renversées : les cornes). Évidemment, c'est génial ; c'est Picasso ! Mais cette sorte de saut de l'imagination de Picasso, nous

---

87. Il faut être fondamentalement sécure pour être capable non seulement de tolérer le vide, le chaos mais en plus d'être capable d'en faire quelque chose. Sinon c'est l'envahissement par le chaos, l'aspiration dans le vide et la mort psychique de la personne. C'est cela qu'éprouvaient probablement les grands blessés cérébraux de Goldstein.

sommes tous à divers degrés capables de l'effectuer. Notre esprit cherche toujours à faire des formes de ce qui l'entoure et rien ne l'empêche d'utiliser son imagination pour cela – pour faire encore plus de formes et pour encore mieux les présenter parce que, au bout du compte, cela fabrique de la beauté et de là, du goût de vivre.

> Rose-Anne contemple son salon qu'elle vient de transformer et elle déclare : Pourtant, elle n'a pas fait grand chose. Elle n'a que changé la disposition des meubles, permis plus de présence à ses plantes vertes et dégagé la lumière de la fenêtre. Mais de tout cela, un nouvel ordre est né – de nouvelles formes sont nées du réaménagement, de la transformation, de son « ancien » salon. Du même transformé est né du nouveau.

Tout le monde peut, à divers degrés, utiliser son imagination pour briser un équilibre déjà existant pour ensuite le refaire autrement. Ainsi nous pouvons créer des formes nouvelles – même si nous serions les seuls à les contempler. Et même à la limite si seuls à les contempler, nous les contemplerions qu'en imagination. Évidemment le passage de la forme transformée en imagination à la forme transformée dans la réalité n'est pas toujours possible mais lorsqu'il l'est, nous avons tout avantage à l'effectuer. En fait, lorsque nous dépassons nos rêveries et que nous confrontons la résistance de la réalité pour mettre dans la matière réelle les formes que nous avons imaginées – eh bien, nous créons de la beauté et nous lui donnons une certaine constance dans la réalité qui nous entoure. Nous sommes les premiers à en profiter et du même coup, nous permettons à d'autres d'en faire autant. Mettre au monde de la beauté, c'est fabriquer de la forme – informer, transformer la réalité et la matière qui dure. En créant de la beauté, en fabriquant de la forme ou en la transformant, la personne se donne du sens à vivre. Elle se fabrique du goût de continuer, de se continuer – du goût de vivre.

Au fond, c'est la forme[88] qui dicte le contenu, c'est-à-dire que c'est l'idée du créateur qui imposera pour son passage-au-monde, tel ou tel matériau. La beauté est d'une certaine façon plus importante que la vérité. Nous cherchons la manière qui serait plus que toute autre susceptible de donner à notre chaos présent, à l'informe du moment, l'ordre et la forme qu'ils demandent.

> Par bout, Anne se sent comme si ; par bout, elle se sent comme çà sans savoir vraiment ce qu'elle veut. Elle est toute mélangée – puis elle s'arrête et laisse venir toute son imprécision. Et oh surprise ! Elle ressent maintenant précisément qu'au fond de tout cela, ce qu'elle désire vraiment, c'est d'aller magasiner – d'aller voir de belles et de nouvelles choses.

---

88. La forme dans le sens de l'âme, du principe intégrateur plutôt que dans le sens de ce qui paraît.

La forme (voir de nouvelles choses) a dicté le contenu (aller magasiner) et cette forme naît de la confrontation de l'informe (le mal à l'âme). Ainsi, trouver la forme appropriée à l'informe présent peut se traduire et se vivre dans le quotidien. C'est par exemple, le goût d'écouter une belle musique (plutôt que de se promener dans la nature ou plutôt que quoi que ce soit d'autre) puisque c'est, à ce moment-là, la forme de la musique, sa beauté, qui (plus que toute autre chose, forme) pacifie la personne, répond le mieux à son besoin spécifique de paix et de beauté, met le plus d'ordre possible dans son expérience chaotique immédiate en proposant *la* forme que réclame *cette* région chez *cette* personne à *ce* moment. À d'autres moments, ce sera peut-être la promenade dans la belle nature, qui, par sa beauté, constituera ce qui donnera le plus de forme, informera le plus le chaos de l'expérience présente de cette personne. C'est alors un autre désordre[89] intérieur qui, à cet autre moment, aura été à l'origine du choix de cette autre forme : la promenade. Ainsi la forme dicte le contenu de l'activité qui suscitera l'expérience esthétique.

> Claire hésite entre écrire des poèmes ou écrire un roman. Elle choisit d'écrire un roman parce qu'elle sait intuitivement que ses questions intérieures, les préoccupations de son cœur, obtiendront plus

---

89. Il ne faut pas penser que ces désordres et ces chaos intérieurs sont des tempêtes de déchirement. Ils peuvent n'être que des grands vents agaçants ou même des brises chatouillantes.

> d'existence par la création de personnages
> qu'elle installera en scénario que par des
> belles phrases assorties de beaux mots
> qu'elle retrouve dans ses poèmes.

Ainsi les préoccupations du cœur de Claire (la forme) l'ont obligée d'écrire un roman (le contenu) parce que ce dernier calmait plus ses questions intérieures.

C'est difficile de faire face au chaos et au désordre. On est souvent fortement tenté de passer outre et trop vite : on les évite. Malheureusement, en même temps, on se prive de leur rôle comme espace propice à la création de forme et de là, de la beauté et du goût de vivre. Éviter et fuir chaos et désordre dissipent certainement, temporairement, le malaise (parfois l'angoisse et la peur) mais parallèlement, la forme ne sera jamais créée, l'ordre non plus ou du moins la forme ne sera jamais pleinement présente – le désordre n'aura pas fait son œuvre de stimulus à la beauté.

Pour créer la forme à partir du chaos, du désordre, il faut accepter le difficile, le souffrant qu'ils suscitent. Il importe donc de tolérer l'ambiguïté et d'endurer, jusqu'à un certain degré, le désordre et la désorganisation. Il faut accepter cette souffrance, cette misère, ce trac – c'est la seule manière d'arriver à ce que la totalité de l'expérience de la personne soit touchée et permettre ainsi que la nouvelle forme créée, la beauté prenne toute sa densité.

> Paul se débat avec ce cours à donner. Un
> sujet tellement difficile à cerner, à organiser

et une classe d'étudiants si réfractaires à tout ce qui est complexe. Comment arriver à donner forme à ses idées, à les transmettre avec le plus d'élégance possible et à rejoindre ses auditeurs ? Par bout il est tenté de tout envoyer promener – il leur expliquera la pensée d'un seul auteur et c'est tout ! Puis, il refuse de démissionner. Il continue son combat avec ce qu'il éprouve : c'est difficile et presque souffrant de mettre au monde ce cours – cela ressemble à un accouchement. Puis finalement, à force d'efforts, cela arrive. Il est satisfait de sa présentation. Il s'engage vers la salle de cours tout habité par cette nouvelle forme qu'il a mise au monde : son cours.

La naissance de la beauté n'est jamais magique ; elle implique toujours un effort, un accouchement. Pour que la culbute entre le désordre et l'ordre se fasse, pour que le passage de la perturbation à la forme s'accomplisse, il est impératif que la personne qui crée accepte d'emblée la souffrance qui leur est inhérente.

La révélation de la beauté, sa découverte implique une polarisation de la réalité – que cette réalité soit une œuvre d'art, un spectacle naturel ou une expérience intérieure à mettre au monde. Nos limites perceptuelles obligent très souvent un effort supplémentaire pour saisir la beauté, cette forme dans laquelle le tout est harmonieux. Les sens très souvent morcellent et découpent la réalité alors que la forme réside dans le tout, le global. La forme est en elle-même immatérielle. Elle doit son existence à la façon dont les choses se relient entre elles. La forme, c'est d'une certaine façon, la relation qui existe entre les choses, et percevoir cette relation demande une pleine présence à soi-même. On ne peut pas être distrait et en même temps percevoir de la beauté.

En somme, pour que des formes apparaissent, il importe de confronter l'informe et de séparer, diviser et relier autrement ce qui est là. Tout acte de fabrication de la beauté ou de genèse de forme repose donc sur une difformité, un chaos, un vide, un désordonné qu'il s'agit de diviser, de séparer et d'organiser ou de réorganiser autrement ou encore de briser ou de défaire une forme déjà existante (par exemple la tête de taureau de Picasso) pour finalement en faire une forme plus harmonieuse, plus constructive, source de beauté. Le beau est donc ce qui imprime une qualité privilégiée à certains objets, à certaines choses naturelles ou créées par l'homme – une qualité dont la perception provoque dans le cœur de la personne qui contemple un mouvement d'admiration et/ou d'enthousiasme et dans son corps, une expérience d'euphorie, un bien-être physique. C'est une forme qui, une fois observée et perçue, calme le désordre, le chaos et sert à mieux vivre – aide la personne à vivre, à continuer, à ressentir le goût de continuer et de vivre.

La beauté, l'ordre et l'harmonie des choses

L'essence de la beauté, la forme, se perçoit particulièrement à travers l'ordre et l'harmonie des choses, c'est-à-dire à travers ce qui dans un tout s'assemble bien. Toutes les parties sont en harmonie avec toutes les parties. Rien ne peut s'ajouter. Rien ne peut s'enlever. Dans cet état, la beauté est. Ordre et harmonie des choses sont l'espace d'être de la beauté.

> Paul examine la peinture que vient tout juste de terminer Marie : un homme les bras croisés devant la mer – rien d'autre que l'homme et la mer n'existe. Paul est ravi : Et l'abondance qu'il ressent à parler de cette peinture lui indique sûrement qu'elle le rejoint. Devant cette peinture, il est en contact avec sa propre expérience.

La forme harmonieuse est celle qui ordonne les parties et renforce le tout. Plus l'ordre et plus l'harmonie sont subtils et nuancés, plus la beauté est présente ; plus la beauté est présente, plus les choses peuvent continuer. L'ordre et l'harmonie permettent à la vie de continuer[90]. Et de cette manière, le goût de l'ordre et de l'harmonie rejoint et participe au goût de vivre. Aimer la beauté, vouloir la beauté, c'est effectivement aussi vouloir la continuation des choses, vouloir la continuation de la vie.

Nous voulons répéter le beau, le voir se continuer, le renouveler pour ressentir plus de plaisir à vivre. Notre attitude est fondamentalement différente face à ce qui n'est pas beau – ce qui est laid. La laideur s'oppose à la

90. Revoir le chapitre 2.

beauté, elle établit une disconvenance radicale, une disproportion entre les choses qui fait que nous voulons la voir cesser. À l'opposé du beau, le laid fait cesser, ne pas continuer. Nous ne cherchons pas à le voir se perpétuer, se continuer, exister – nous voulons qu'il cesse, qu'il ne se répète pas. Le beau, lui, suscite en nous, ce désir de voir les choses se continuer – simplement parce qu'elles sont belles, parce qu'elles sont bonnes, parce qu'elles donnent alors le goût de vivre encore, de continuer à vivre pour en vivre d'autres, d'autres choses qui sont pleines de beauté.

Si la beauté suscite ainsi du goût de vivre c'est donc parce qu'elle est si étroitement liée, en parenté si proche, avec la continuation de la vie. La forme ordonnée et harmonieuse qu'est la beauté réveille chez la personne qui la contemple l'élan et la tendance vers le même état d'harmonie et d'ordre qu'elle désire recréer et revivre, à l'extérieur comme à l'intérieur d'elle. Le goût de l'ordre et de l'harmonie en dehors de soi engage à faire continuer les belles choses ; le goût de l'ordre et de l'harmonie en soi engage à se rendre beau, à savoir se rendre ordonné et harmonieux – certains sur certaines facettes d'eux-mêmes et d'autres, sur d'autres facettes. En se rendant belle, la personne s'assure de continuer davantage, de vivre plus.

En maintenant l'ordre et l'harmonie, la beauté protège du désordre, de la désorganisation mais aussi d'une certaine désintégration (désagrégation, morcellement) de la personne et de son milieu. Ainsi, toute action qui s'oppose à la désintégration, qui mène à l'intégration des choses en soi ou autour de soi, favorise l'harmonie et tend vers la beauté. L'harmonie interne des choses, leur intégration, leur proportion, leur mesure constituent le cœur de la beauté qui ainsi résiste à la disproportion, à la démesure et à la désintégration.

La beauté suscite l'ordre et les deux, le respect. Ce qui est beau et en ordre incite nécessairement la personne à en prendre soin, à respecter l'équilibre et l'harmonie présentés. Ainsi, entretenir la beauté constitue une des mesures les plus efficaces contre les poussées destructrices que l'on retrouve par exemple dans le vandalisme. La laideur ou la désorganisation suscite – chez ceux qui ne peuvent pas pour diverses raisons utiliser leur potentiel créateur afin d'en faire quelque chose d'ordonné, une forme, de la beauté – le désordre et lui, la négligence, le laisser-aller, le non respect des lieux et à la limite, les tendances destructrices. Devant la laideur, le désordre et la désorganisation – le vandale continue à défaire, à détruire ce qui, déjà, est en voie de l'être ; devant la beauté, le vandale est comme menotté – il n'ose pas défaire cet ordre et cette organisation harmonieuse[91].

> Pierre est concierge. Dernièrement il a remarqué que depuis qu'il ne laisse plus aucune porte chambranlante, aucun tapis déchiré et aucun carreau brisé, sa conciergerie n'est plus la cible des vandales. Alors depuis, il ramasse tout ce qui traîne, répare chaque fissure, met des fleurs dans son

parterre, entretient ses boiseries, repeint à chaque fois que c'est nécessaire... En entretenant ainsi la beauté des lieux, il a réussi à contrer le vandalisme.

La beauté contribue donc à éviter le désordre et l'anarchie en suscitant de la créativité, de l'ordre et de l'harmonie. La beauté appelle l'ordre à l'extérieur comme à l'intérieur de la personne. Elle lui permet de se mettre en ordre, de s'ordonner et de chercher à maintenir l'ordre ainsi créé. La beauté réussit ainsi à donner de l'espoir – l'espoir pendant les périodes de misère et de destruction parce qu'elle encourage à espérer l'ordre et à continuer la vie.

Le 1er février 1992, *La Presse* titrait : La première Miss Albanie sera élue ce week-end. Le pays le plus pauvre d'Europe, au bord de l'anarchie, veut montrer et

---

91. Généralement, chez la majorité des gens, la beauté suscite effectivement le respect de l'ordre et de l'harmonie créés et ainsi elle protège efficacement du vandalisme. La beauté peut par contre aussi parfois pour certaines personnes dans certains cas bien particuliers susciter autre chose que l'ordre et parfois même son contraire, c'est-à-dire le désordre. C'est par exemple le cas lorsque la beauté est source d'envie. Le propre de l'envie étant le désir de détruire chez l'autre ce que nous désirons avoir pour nous-mêmes mais que nous n'avons pas, la beauté, lorsqu'elle est source d'envie, peut devenir quelque chose à détruire plutôt qu'un quelque chose à entretenir, à préserver et à respecter. Ce sont là cependant des cas bien particuliers chez des personnes bien particulières et non représentatives de la population en général.

se montrer à lui-même qu'il peut « mener une vie normale ». Voici quelques extraits de l'article :

> D'ores et déjà, les 25 candidates, âgées de 15 à 23 ans et pour la plupart d'entre elles au chômage, s'entraînent quotidiennement à défiler en minijupe sur le podium, au rythme d'une musique pop européenne.
>
> Le maquillage du grand soir, elles l'auront fait venir en fraude de l'étranger. Les robes qu'elles porteront ont été empruntées à un studio de télévision pour pièces de théâtre. Et Valbona Selimilari, 19 ans, de se plaindre qu'elles sont 25 pour trois miroirs.
>
> Il est vrai que, confie Vera Grabocka, organisatrice de la manifestation pour la télévision d'état. Mais .
>
> Parmi la population, le concours soulève d'ailleurs l'enthousiasme. Plus une place n'est disponible en dehors du marché noir et les conversations n'évoquent plus les problèmes d'inflation ou d'émigration mais les attributs des postulantes.
>
> *La Presse*, 1er février, 1992, p.A-7

Aussi naïf qu'il puisse paraître, ce concours de beauté en plein pays défait et brisé est un véritable cri d'espérance. Dans ce pays au bord du chaos et de l'anarchie, un concours de beauté appelle à l'ordre et à l'harmonie – comme un frein puissant devant l'inquiétant mouvement de désorganisation. C'est un peu comme si ces gens s'étaient dit : Illusion momentanée au cœur d'une envahissante désorganisation chaotique ? Peut-être. Mais aussi, espoir − espoir et manifestation d'un désir et d'un pouvoir de reconstruction et de réorganisation. Aucunement inutile et farfelu, ce concours est donc en quelque sorte une leçon d'humanité − retrouver espoir d'organisation via la beauté en plein centre du chaos, du primitif et de l'anarchie.

La beauté calme le chaotique, le sauvage et le primitif en nous pour nous rendre plus conscients et plus humains. Ainsi l'aphorisme suivant : « la musique adoucit les mœurs » se rapproche passablement de la réalité.

> Pendant ses réunions de travail, Pierre est régulièrement confronté aux idées de ses confrères qui plus souvent qu'autrement s'opposent aux siennes. À chaque fois, c'est immanquable, il se sent monter la moutarde au nez − et à chaque fois aussi il essaie toujours de se souvenir de cette belle musique de Mozart. C'est certain, c'est pas facile de faire faire ce saut à sa conscience mais cela réussit à tout coup : le souvenir de ces beaux airs de musique le calme et lui fait retrouver sa sérénité.

La beauté, la belle forme harmonieuse, freine la destruction, le chaos et la laideur mais paradoxalement elle en a besoin pour naître. La beauté demande la résistance de la laideur, de la misère pour naître. C'est lorsque la souffrance de tout ce qui est laid, défait, désordonné et chaotique accable l'être humain qu'il ressent avec le plus d'acuité le besoin de tourner ses pensées vers la beauté, le besoin de pratiquer toute activité qui l'amène à vouloir insister sur la beauté ou le besoin d'en créer – écrire de la poésie, peindre.... C'est en fait cela l'essence même du paradoxe : la beauté, résistance à la laideur, naît aussi dans la résistance de la laideur.

Désordre, chaos, désorganisation, morcellement sont tous symboliquement associés à la mort ; ils en sont en quelque sorte les fidèles représentants. Lorsqu'ils approchent, la personne risque de voir s'éveiller en elle des angoisses primitives de mort. Pour s'en soulager ou pour composer avec elles, la personne non seulement aime mais a besoin de se souvenir de la vie et de la vitalité – et pour ce faire elle a recours à la beauté.[92] Elle veut s'y laisser bercer parce que la beauté est pleine de vie.

Finalement, la qualité ou la profondeur de la beauté dépend de la profondeur et de la constance de l'ordre et l'harmonie de sa forme. Plus l'harmonie est complète, plus elle assure de la continuité et plus elle embellit l'objet. La perception et la contemplation de cette harmonie donnent à la personne du goût de continuer, du

---

92. Il ne s'agit pas véritablement d'une compensation. La beauté n'est pas créée *à cause* de la laideur – la beauté n'existe pas *parce qu'*il y a de la laideur – pour la compenser. Le fait qu'il existe de la laideur crée une sorte de résistance qui elle sert de tremplin pour créer de la beauté – la beauté requiert la résistance de la laideur pour naître.

goût de vivre pour continuer à contempler et pour retrouver encore tout le spectacle de la beauté.

La vitalité de la beauté

La beauté est vitalité. Non seulement la beauté suscite de la vie mais elle en est une intarissable source. Le beau est ce qui plaît ; ce qui plaît donne du plaisir ; ce qui est plaisant, donne de la vie ; le plaisir vitalise. La beauté est dynamique, elle énergise – elle soulève l'âme et donne le goût de voir encore, de ressentir encore, d'écouter encore et donc, de continuer. Elle donne du goût de vivre.

> À cause de toute l'intensité de présence qu'il éprouve pendant ses promenades en forêt, André sait très bien que, même s'il doit aujourd'hui repartir pour la ville, il reviendra. Il sait qu'il n'épuisera jamais son goût de voir et de sentir tant de beauté. Demain ? en fin de semaine ? à ses vacances ? peu importe – il reviendra. Tout au long de ses journées de travail à la ville, il se souviendra de ces belles images, de ces bruits si particuliers – cela le soutiendra – le fera passer à travers ses journées. Et ensuite, à la moindre occasion, il reviendra se baigner dans la beauté de « sa » forêt.

Ce goût de continuer que suscite la beauté résulte directement de l'étroite parenté qui existe entre la beauté et la vie. Comme le traduit si bien un proverbe persan :

Si j'ai un sou – avec la moitié, j'achète un
pain et avec l'autre moitié, j'achète une vio-
lette.

En d'autres mots, quand nous en sommes à choisir
l'essentiel, que choisir d'autre que la vie et la beauté –
de rester en vie pour savourer sa beauté, la beauté de la
vie, la vie et sa beauté. Tout cela pour souligner combien
beauté et vie sont reliées, entremêlées.

La beauté est donc en partie liée à la subsistance, à
la continuation de vivre. Sans la beauté la vie n'est plus
tout à fait assurée de sa continuité. La bonne conduite
de sa vie se manifeste et s'observe d'abord par sa
beauté comme l'indiquent d'ailleurs certaines expressions courantes : la belle vie ! la bonne et belle vie ! –
exclamations délicieuses du contentement de vivre et
de la manière particulière avec laquelle on conduit notre
vie.

LES EFFETS DE LA BEAUTÉ

La beauté de tout, en tout et partout – partout surtout où il y a de la vie. Elle peut donc naître de la nature,
des choses, des œuvres de l'humanité[93]... Conséquemment, ses effets sont multiples. Ainsi, la beauté suscite

---

93. L'expérience esthétique, de percevoir la beauté peut aussi naître
    devant d'autres humains, devant des femmes et devant des hom-
    mes. Ce thème de la beauté des humains toutefois dépasse les
    frontières de ce chapitre consacré au monde matériel, au monde
    des choses comme sources du goût de vivre.

des émotions ; elle favorise la santé mentale ; elle donne du pouvoir et procure de la sérénité chez la personne qui la contemple ; elle permet la réconciliation ; elle donne du sens à vivre et peut même en devenir un puissant. En somme et particulièrement, la beauté est source du goût de vivre ; elle fait dépasser le sentiment de finitude comme en figeant dans l'instant l'éternité et en faisant cesser le temps ; elle est une manière de transformer le monde.

La surprise et la beauté

La beauté surprend (sur-prend : prend par-dessus). La beauté crée un effet de surprise et cette surprise, en gagnant la sensibilité, déclenche un sentiment d'étonnement. La beauté nous surprend. La beauté nous étonne.

Si le créateur de la beauté effectue un saut d'imagination – défaire et refaire autrement une réalité – celui qui perçoit cette beauté effectue un saut de l'attention. La perception de la beauté fait sursauter l'attention ; elle prend l'attention par-dessus et la retient dans la contemplation. La surprise vient saisir la personne, lui fait automatiquement cesser ce qu'elle était en train de faire ou ce qu'elle était en train de percevoir pour réorganiser autrement son intérieur. La surprise crée un effet choc. Devant la beauté, un peu comme le choc électrique, la surprise saisit et choque ; elle pousse l'attention et elle l'oblige à se fixer ou plutôt à se figer sur la beauté – c'est la contemplation.

La beauté secoue le cœur. Et si l'humour est souvent considéré comme l'éternuement de l'esprit, la surprise peut sûrement être considérée comme l'éternuement du cœur. La surprise happe le cœur. D'une certaine manière, elle l'apostrophe et le tient en laisse mais seulement pour l'amener devant le beau à ressentir et à goûter tout le bon de l'expérience esthétique. C'est un peu comme si, sur le coup, la surprise venait dégager une sensibilité toute neuve et toute vive, et que tout à coup, la personne se voyait, presque à son insu, devenir comme complètement happée par le beau.

> Philippe se souvient toujours avec plaisir de ce beau matin de juin dans Charlevoix quand s'avançant sur le bord d'une falaise pour mieux voir la mer il a découvert — oh! surprise — des milliers et des milliers de marguerites, du blanc et du jaune, se balançant au gré du vent. Toutes, elles allaient d'un côté puis toutes, elles allaient de l'autre et au fond, tout au fond, le bleu si bleu de la mer: du blanc, du jaune et du bleu, et sans cesse le mouvement. Ça fait bien maintenant presque quarante ans de cela et pourtant, cette image est restée aussi vive dans sa tête qu'elle l'était il y a quarante ans lorsqu'il l'a perçue pour la première fois. Philippe a toujours rêvé de retourner dans Charlevoix juste pour revoir ces milliers de marguerites sur fond de mer.

La surprise déstabilise l'attention générale, vague et flottante habituellement portée aux choses de la réalité qui nous entoure – elle la court-circuite – pour la retenir et surtout, pour la focaliser sur une seule facette, sur un point bien particulier de la réalité. L'effet de surprise terminé, la personne reprend ce qu'elle est mais autrement, car en fait, elle n'est plus tout à fait la même. L'expérience de la beauté et celle de la surprise qu'elle provoque l'ont transformée, l'ont rendue plus vivante.[94]

Ainsi la beauté, par le jeu de surprise qu'elle exerce, raffine et raffine encore plus la sensibilité de la personne. Elle dé-anesthésie le cœur qui pour être moins vulnérable se camoufle souvent et perd ainsi ses habiletés à percevoir avec raffinement. Par ce saut de cœur, cette surprise, la beauté nous humanise. Elle nous ouvre tout grand un terrain pour exercer notre sensibilité.

> Depuis que Paul a commencé ses cours d'histoire de l'Art, sa vie a changé : il a découvert une nouvelle façon d'apprécier la vie. Comme à l'adolescence lorsqu'il a appris à aimer la nature et ses beautés ; comme jeune adulte, lorsqu'il s'est émerveillé devant la pensée humaine ; aujourd'hui, comme adulte, il découvre à travers l'Art une autre manière de goûter la vie. Au fur et à mesure, il se découvre une nouvelle sensibilité et à chaque fois, il a hâte à son prochain cours – pour entendre parler d'un autre peintre, pour admirer lentement ses œuvres et savourer en lui par la suite ces images. Paul s'est affiné le cœur. Il a trouvé par l'art un nouveau chemin pour

> contempler la vie, un sentier tout aussi vita-
> lisant que lorsqu'il a découvert la nature et la
> pensée.

La beauté dénude l'âme – elle met l'âme à nu et à vif[95]. Et dans cette nudité, les êtres humains sont vulnérables. Les êtres humains et particulièrement les hommes sont gênés d'échanger sur la beauté, de parler à d'autres de leur expérience émotive face à la beauté. Les hommes sont plus à l'aise pour parler des qualités d'attractivité sexuelle, des caractéristiques de fonctionnalité ou d'utilité mais de la beauté, juste de la beauté[96] – telle qu'ils la perçoivent et la ressentent, ils ont de la difficulté – c'est comme s'ils avaient l'impression de se mettre à nu, de se déshabiller le cœur, de livrer à vif leurs émotions, de se montrer dangereusement vulnérables. Mais hommes ou femmes, même si nous pouvons tous reconnaître et ressentir l'expérience esthétique de la beauté, il nous est (et nous sera) toujours difficile de

---

94. La beauté surprend. La beauté fait sursauter l'attention. Ce sursaut court-circuite l'attention mais ceci pour préparer l'organisme à une expérience intéressante, celle de l'émotion de l'intérêt – d'où le sentiment d'être plus vivant. Le sursaut de l'imagination du créateur et le sursaut-surprise de l'attention devant la beauté sont en cela totalement différents d'un sursaut associé à une réaction devant un stimulus trop vif, désagréable (une tape dans le dos, un coup de fusil). Ce deuxième type de sursaut court-circuite aussi l'attention sauf qu'il prépare l'organisme non pas au plaisir de l'intérêt mais à la peur, à se défendre contre la peur. Le sursaut et la surprise peuvent donc être différemment associés, à l'intérêt ou à la peur, en fonction de ce qui les aura spécifiquement provoqués.

communiquer à d'autres notre vraie expérience telle que nous l'avons (ou nous l'auront) réellement ressentie à l'intérieur de nous. C'est là, une de nos indéniables conditions existentielles : nous sommes fondamentalement seuls et c'est seuls avec nous-mêmes que la beauté nous rejoint vraiment jusqu'aux fibres de notre être-au-monde.

Pour susciter tout le vif de l'émotion, la contemplation de la beauté commande la solitude. Dans la contemplation, personne ne peut nous accompagner – il n'y a que nous-mêmes et notre solitude. Même l'être le plus aimé ne peut pas être là ; même si sa présence nous est précieuse, elle ne peut pas faire autrement que nous distraire de tout ce qui peut être ressenti. Malheureusement, cette nécessaire solitude risque d'en faire fuir plus d'un. La solitude ou plutôt la crainte d'affronter l'isolement[97] parvient ainsi à priver plusieurs d'entre nous d'une expérience très particulière, celle de vraiment goûter à la beauté.

> Louis se souvient que lorsqu'il était adolescent et qu'il était seul à faire une excursion en montagne, il éprouvait une immense tristesse. Comment devant tant de beauté la tristesse pouvait-elle l'envahir autant ? Au

---

95. C'est le « soul-baring »de la langue anglaise c'est-à-dire l'âme dénudée de ses défenses et qui n'est que perception.

96. De la beauté *en plus* de l'attractivité sexuelle et non pas de la beauté *au lieu* de l'attractivité sexuelle.

97. Voir Bureau, Jules (1992).

début, il pensait que c'était parce qu'il était seul et que son besoin de communiquer à d'autres ce qu'il éprouvait devant tant de beauté ne faisait qu'accroître son sentiment de solitude, d'isolement. Mais aujourd'hui il s'explique cela autrement. D'abord il sait maintenant que devant la beauté, même accompagné, on est toujours seul – la majesté de la beauté prend à elle seule toute la place ; ensuite, il a découvert que ce qu'il appelait « tristesse » n'en n'était pas vraiment – ce qui l'envahissait comme adolescent c'était tout simplement que n'étant pas distrait par la présence des autres, son cœur s'enflammait et il appelait cette flambée, de la tristesse de l'isolement.

L'expérience esthétique trouble. La beauté trouble. Et le trouble esthétique ressenti devant un spectacle de beauté (peu importe sa forme) prouve que la beauté a été véritablement perçue et goûtée. Devant la beauté, le cœur s'incline ; il admire : un ciel étoilé, une peinture de Cézanne, un concert de Mozart, un nouveau-né – tous des stimuli de beauté et toutes des possibilités de raffiner notre sensibilité et d'élargir notre humanité.

La beauté, le goût de vivre et la finitude

Que la beauté nourrisse le goût de vivre, nous ne nous en étonnons plus. D'autant plus que nous en avons glissé ici et là plusieurs exemples. Ce n'est pas pour remettre en question ce fondement que nous y revenons mais, au contraire, pour l'appuyer davantage tant ce lien entre la beauté et le désir de vivre est fondamental pour tout vivant, qui de surcroît est aussi mortel.

Le goût de vivre naît de la conscience du précieux de vivre qui, elle, naît à son tour de la conscience de la fragilité de vivre puisque la vie est toujours menacée par la mort.

Comme nous cherchons à protéger une pierre précieuse à l'intérieur d'un bel écrin, nous cherchons à protéger le précieux de vivre, la vie qui nous est précieuse, en l'entourant de beauté. La beauté amplifie la vie, la conscience d'être vivant et sous son influence, la personne arrive à oublier – l'espace d'un moment, de sa contemplation – qu'elle est limitée, qu'elle est finie. Et tout se passe comme si pour garder cette illusion d'éternité, la personne en venait à se mobiliser sans cesse pour créer de la beauté et ceci en fait, pour assurer encore plus sa continuité. Il en est ainsi. Lorsqu'une personne contemple de la beauté, elle éprouve elle-même sa forme et son harmonie tout à fait comme si la beauté lui servait de miroir. Elle réalise alors, encore une fois, que cela vaut la peine de continuer puisque la beauté existe, puisqu'elle-même (la personne) existe et qu'elle participe par son ordre et son harmonie à cette beauté et finalement, puisque la mort guette, puisque sa durée comme personne est indéniablement limitée, elle réalise que son existence est précieuse.

> Chantal a toujours trouvé la beauté des lilas émouvante. Leur douce couleur mi-mauve, mi-violette, leur parfum si généreux qui

embaume des rues entières, leur parenté avec le printemps – tout cela la transporte. Mais ce qui l'émeut davantage, c'est leur courte vie – à peine quinze jours et ils disparaissent. Leur caractère éphémère rend encore plus précieuse leur présence et spécifie encore plus leur beauté. Chantal les savoure donc d'autant plus qu'elle sait qu'ils ne seront pas toujours en fleurs.

Les humains meurent mais la beauté reste. Les humains sont mortels mais la beauté est éternelle. Participer à la beauté, en vivre, c'est quelque part participer à l'éternité – à l'illusion d'éternité. La conscience de la mort – et un jour sa proximité – engage à créer de la beauté. De la beauté pour d'une certaine façon affronter et confronter la mort, la désorganisation de la mort... Devant la beauté, la mort recule en quelque sorte ses frontières[98]. La beauté entretient conséquemment le goût de vivre. La beauté refuse d'être temporaire et malgré sa délicatesse et son caractère souvent éphémère, elle exige l'éternité.

Les grands moments de beauté, de pure éternité, sont comme des pieds de nez adressés à la mort – ce sont des parcelles d'éternité dans la finitude de la vie humaine. Et si la beauté en confrontant la mort donne du mordant au goût de vivre, de son côté, la mort éveille

---

98. Devant l'amour aussi. La mort hésite devant l'amour. Comme pour la beauté, l'amour obtient du pétillant justement parce qu'il y a la mort.

et aiguillonne le créateur endormi en chacun de nous. Les artistes d'ailleurs savent souvent plus que les autres quelles sont les limites et les menaces de la mort et c'est probablement pourquoi ils ressentent aussi encore plus le besoin de créer, de faire de la beauté. Y aurait-il autant de zeste à vivre sans le spectre de la mort ? Sans la mort, la vie ne risquerait-elle pas de s'affadir en devenant une routine de vivre de laquelle la beauté serait exclue. Rollo May (1985)[99] raconte par exemple que la première fois qu'il est entré dans la cathédrale de Chartres, et qu'alors il a découvert toute la beauté des vitraux illuminés par le soleil couchant, il a vécu une expérience indescriptible d'extase et face à elle, il n'a eu qu'un souhait – que cet instant dure toujours ! Qu'il soit éternel ! Évidemment, c'est impossible – la limite du temps et celle de la mort nous rattrapent toujours. Mais même là, la beauté apporte quelque chose de bon – elle aide aussi à accepter cette limite de temps, la mort. En effet, si la beauté nous aide à ressentir la vie, à sentir que la vie vaut la peine d'être vécue (parce qu'elle est pleine de beauté à faire, à créer, à contempler) la beauté peut aussi pacifier la mort – parce qu'une mort qui s'accompagne de beauté – une belle mort – en est une qui quelque part se tolère plus facilement.

---

99. Après une longue et riche expérience de psychothérapeute, de rencontres et de réflexions, ce grand penseur existentiel consacre tout un livre à l'étude de la Beauté – son cri pour la beauté (1985).

Devant le spectacle qu'offrent les couleurs des feuilles de l'automne, Daniel s'arrête pour goûter à toute cette beauté. Puis, il réalise que les feuilles de ses érables et de ses chênes sont encore plus belles quand elles approchent de leur mort. Elle connaissent leurs couleurs les plus riches et les plus intenses lorsqu'elles meurent et aussi très probablement *parce qu'elles meurent*. Il se dit que c'est peut-être parce que proches de la mort elles ne retiennent plus rien – alors elles présentent *toute* leur beauté.

Lorsque nous sommes conscients de l'existence de la mort ou que la mort approche, la nôtre, nous sommes aussi plus conscients de la vie, de la vitalité – et le goût de vivre est à son comble. Ainsi lorsque la laideur, la misère et la souffrance accablent la personne, elle ressent souvent le besoin d'écrire de la poésie, de tourner ses idées en beauté, peu importe, mais elle veut faire de la beauté : c'est une façon de résister à la laideur et à la souffrance.

La beauté donne de l'espoir. Parce qu'elle célèbre la vie, elle donne le goût de la continuer. Parce qu'elle (la beauté) reste une garantie d'ordre et d'harmonie, elle permet aux choses de continuer et par ces faits, elle engendre du goût pour la vie, de la force de résistance à la mort, le goût de continuer et de vivre.

La beauté et le sens à vivre

Pour plusieurs personnes, en plus de susciter du goût de vivre, la beauté donne du sens à vivre – un sens à vivre leur vie. Pour plusieurs d'entre nous, la vie vaut la peine d'être vécue, la vie a du sens parce que la vie est belle, parce que la vie est habitée par la beauté, parce que la beauté existe.

La beauté soulève du sens à vivre principalement parce qu'elle permet de transcender l'expérience menaçante et désespérante de ne pas avoir de sens, d'être d'aucune signification, d'être insignifiant. Cette expérience particulière, c'est le sentiment douloureux d'être totalement insignifiant, sans importance, dans un univers qui continue sa course malgré nous, malgré chacun de nous – ce qui pose obligatoirement un problème à l'humain quant à la signification de son existence : à quoi sert ma vie si l'univers lui est indifférent ? La beauté offre à la personne la possibilité de transcender cette expérience pour l'intégrer autrement : elle peut faire de la beauté, elle signifie donc quelque chose ; elle peut contempler de la beauté, en créer et en remplir ses journées, elle a donc du sens.

> Depuis qu'il a recommencé à peindre, Pierre a cessé de désespérer puisque maintenant, la beauté l'occupe. Il se souvient de ses lourdeurs à vivre. À chaque matin, il se demandait s'il existait une seule bonne raison pour se lever. Aujourd'hui, il sait : il se lève pour faire et contempler de la beauté. Il peint des toiles.

Plus qu'une raison de vivre, la beauté donne du sens à la vie. Par sa capacité symbolique, son pouvoir de rassemblement[100], la beauté peut transformer une vie monocorde, monotone, terne ou chaotique en une vie pleine de sens. La beauté rassemble, organise et intègre l'expérience plus ou moins éparpillée de la personne, la met en ordre, en fait un tout et lui donne du sens. La beauté est du domaine symbolique. Le symbole soulève une expérience – la beauté soulève et appelle du sens : parce qu'il y a la beauté, la vie est plus significative que l'absence de vie.

Malgré notre terreur de la mort, la qualité[101] de la vie est plus appréciable que la quantité ou la longueur de la vie. La qualité de la vie peut par ailleurs décliner au fur et à mesure qu'augmente chez une personne la préoccupation à propos de la quantité, de la longévité de la vie. Tout se passe comme si la personne se disait :

> Mario pratique tous les sports non pas par plaisir mais pour garder la forme. Il s'est inscrit à un club de santé et il déteste y aller mais ça maintient la santé. Il surveille avec acharnement sa diète – se prive de tout ce qu'il aime et tout ça pour durer le plus

---

100. Rappelons-nous que symbole : *Sym*, signifie « avec », « ensemble » ; *ballein*, signifie « lancer » – c'est-à-dire rassembler, réunir ce qui est disparate.

101. La vraie qualité de la vie c'est-à-dire celle qui la densifie et l'élargit et non pas nécessairement celle que l'on met en équation avec la facilité de vivre et que l'on réduit au simple confort.

longtemps possible. Il ne fait plus l'amour parce que cela fatigue trop son organisme ; il ne fréquente plus le cinéma qu'il adore pourtant parce que le trop grand effort visuel n'est pas bon pour ses yeux. Il se fait une vie de misère pour se donner une longue vie.

Mais la qualité de la vie, la vraie, une vie de qualité, c'est quoi au juste ? C'est tout simplement une vie qui est habitée par la beauté – la belle vie quoi ! Celle à l'intérieur de laquelle loge la beauté... la beauté, et le plus souvent les arts : la musique, la poésie, la peinture... Les arts ont de tout temps participé au plaisir de vivre et à la qualité de la vie. Mais la beauté ne réside pas uniquement dans les arts, et partout où elle se trouve, elle joue ce même rôle : elle ajoute – elle ajoute du plaisir de vivre, de la qualité à la vie, du sens à vivre. La beauté est et restera toujours un plus dans le quotidien des humains.

Il y a dans la poursuite du beau, une passion intense pour l'esthétisme qui somme toute devient un objectif ultime de vivre. Trouver le beau dans la vie, voilà le but – tout le reste, le métier, la profession et les amours ne sont alors que des moyens, de merveilleux moyens, de merveilleux instruments, pour atteindre ce but. La peine de vivre s'accepte et s'accueille parce qu'il y a la beauté. Et lorsque ce sens à vivre s'exerce chez une personne, il en influence plusieurs autres. Et en suscitant ainsi chez d'autres le même appel à la vie, à la vitalité et à la beauté la personne se sent alors pleinement significative – sa vie est pleine de sens ; elle a un sens à vivre.

> Depuis que Suzanne a changé sa carrière pour devenir professeur de français, elle a placé dans sa vie un stimulus de zeste à vivre. Elle se consacre à appeler les jeunes à la beauté et à la connaissance. Quel beau métier elle se donne ! Non seulement, elle savoure la mélodie d'un poème qu'elle leur apprend – mais elle savoure aussi l'éveil de ses étudiants à leur propre goût pour la poésie. Elle est pleine de contentement : elle prend et elle fait prendre la mœlle de la vie, le cœur même de la vie.

La beauté, c'est l'exquise saveur de la vie – c'est la mœlle de la vie – c'est ce qui la nourrit et ce dont la poursuite à elle seule, justifie de vivre. Le beau plaît et il fait vivre peu importe si la personne possède ou non de concepts pour le nommer. Son expérience en est une de plaisir. C'est le trouble éprouvé en présence de la beauté – un plaisir trouble, un trouble pétillant auquel on ne résiste pas car on s'engage sans cesse à vouloir le répéter. C'est le plaisir de vivre par le plaisir de contempler la beauté. Ce plaisir ressemble à un état d'alerte de toute la sensibilité et de toute la conscience. Et la personne cherchera à le faire durer en contemplant encore plus tout ce qui le suscite.

En réalité, les effets de la beauté peuvent très bien se résumer à un seul, global mais fondamental : l'intérêt pour la vie, l'élan vers la continuité à vivre ou plus directement le goût de vivre. La beauté ennoblit et élargit l'humanité d'une personne. En cela, elle est source du goût de la vie, du goût de continuer, du goût de vivre. La beauté forme et fait durer – elle informe la vie comme l'esprit informe la matière. Elle est une fleur émouvante au veston de la vulnérabilité humaine, celle d'être des personnes conscientes de vivre tout en sachant qu'un jour elles mourront[102].

---

102. Dans l'édition de 1993 du Goût de Vivre, nous avons analysé plus en détails différents autres effets de la beauté et une certaine manière d'augmenter notre capacité de perception de la beauté.

Conclusion

Subjectivement, c'est sur la pointe des pieds et tout en douceur qu'il nous semble devoir conclure – désireux que nous sommes d'imaginer chacun de vous encore tout plein de l'expérience suscitée par le dernier chapitre sur la beauté ! Toutefois, si au moins nous sommes parvenu à rejoindre l'expérience en chacun de vous, ne serait-ce qu'un tout petit peu ; si nous sommes arrivé à mouvoir, à émouvoir un seul goût de vivre ou à allumer une seule vitalité qui sommeillait quelque part – eh bien, nous serons satisfait. Car susciter le goût de vivre c'est ainsi. C'est réussir à rejoindre l'expérience d'une autre personne et lui fournir au besoin un langage, des mots, pour dire, exprimer sa propre expérience et alors l'inviter à élargir par ses propres moyens sa conscience, à augmenter sa sensibilité et à favoriser sa liberté.

Le goût de la vie, de l'ordre et de l'harmonie, le goût du mouvement, de la différence et de l'avenir – leur nature spécifiquement émotive et leur dynamisme – tout cela, c'est le goût de vivre.

Vivre et désirer, en avoir le goût, c'est finalement ce qui est créé, engendré et stimulé par le sens à vivre – ce contrat positif avec la vie, cette direction subjective que nous donnons à nos vies et qui quotidiennement à travers l'interaction avec les autres humains et avec la beauté nous donne encore plus le goût de continuer à vivre – vivre et continuer la vie pour en prendre tout le plaisir et pour chaque jour devenir encore plus humain.

Note

76. L'être humain possède cet étrange pouvoir de déformer ses vrais besoins, de braquer sa conscience sur une avenue de réponses, ce que nous appelons une attente, et d'oublier par la suite, l'aboutissement de cette avenue, son but et son objectif. Ces attentes diverses substitutives au vrai besoin sont peut-être plus faciles à combler mais au bout du compte souvent très éloignées du but premier : trouver une réponse au vrai besoin. Si l'attente se substitut ainsi au vrai besoin c'est donc parce qu'elle peut plus facilement se garantir une réponse et alors assurer le maintien d'une certaine sécurité chez la personne. Évidemment, il en est autrement du vrai besoin qui implique plutôt l'insécurité : la recherche complexe et contingente sans l'assurance d'une réponse ou du moins dans l'inconstance quant à l'obtention d'une réponse. Par exemple, il est plus facile de trouver une réponse à une attente comme que de trouver une réponse au vrai besoin qui y est souvent sous-jacent, c'est-à-dire se donner une place dans l'existence – comme si assurait d'emblée une place, attente et vrai besoin confondus. On peut remarquer le même phénomène entre d'une part s'attendre à être unique, spécial ou extraordinaire et d'autre part, le besoin plus profond d'avoir un sens ou de signifier quelque chose pour quelqu'un – comme si l'unicité garantissait le sens de ce que l'on est pour quelqu'un d'autre, attente et vrai besoin confondus. N'est vrai besoin que celui sur lequel la personne possède un pouvoir – le pouvoir de le combler, d'y répondre par elle-même ; autrement c'est une attente. Sur l'attente, la personne n'a souvent pas de pouvoir ; elle ne peut pas toujours se garantir de réponse. L'attente peut être justifiée et appropriée à la personne mais sur le plan de la croissance et du développement humain, elle n'a pas le même impact. Trouver une réponse à une attente reste le plus souvent moins satisfaisant pour la personne. Parce qu'elle masque le vrai besoin, l'attente risque effectivement de laisser une impression de futilité et d'impuissance. Le sentiment de futilité sera alors proportionnel à la quantité d'énergie

qu'aura mobilisée la personne pour maintenir refoulé le vrai besoin qui y est sous-jacent. La réponse au vrai besoin apporte au contraire une impression de plénitude et de solidité qui enracine encore plus la personne dans ses fondements. Lorsque bien identifié et bien nommé, le vrai besoin est un lieu de pouvoir – pouvoir plus grand sur la réponse à obtenir et pouvoir d'enracinement et de plénitude pour qui parvient à le conscientiser et à y trouver réponse.

Bibliographie

BACH, R. (1980). *Jonathan Livingston, le goéland*, Paris: Flammarion, 95 p.

BACH, R. (1978). *Illusions ou les aventures d'un messie récalcitrant*, Paris: Flammarion, 161 p.

BARRON, F. (1968). *Creativity and Personal Freedom*, Toronto: Van Nostrand, 332 p.

BERGOUNIOUX, F.M. (1947). *Esquisse d'une histoire de la vie*, Paris: Revue des Jeunes, 241 p.

BERGSON, H. (1934). *Les deux sources de la morale et de la religion*, Paris, Librairie Félix Alcan, 346 p.

BUBER, M. (1965). *The knowledge of Man*, New York: Harper & Row, 186 p.

BUBER, M. (1965)A. *Between Man and Man*, New York: Harper & Row, 229 p.

BUGENTAL, J.F.T. (1980). The Far Side of Despair, *Journal of Humanistic Psychology*, *20*, 49-68.

BUGENTAL, J.F.T. (1976). *The Search for Existential Identity*, San Francisco: Jossey-Bass, 330 p.

BUGENTAL, J.F.T. (1970). Changes in Inner Experience and the Future, in C.S. Wallia, (Ed.), *Toward Century 21: Technology, Society and Human Values*, N.Y.: Basic Books, pp. 283-295.

BUGENTAL, J.F.T. (1965). *The Search for Authenticity*, New York: Holt, Rinehart, Winston, 437 p.

BUREAU, Jules (1992). *Vivement la solitude! La nature et les avantages de la solitude et ses liens avec la sexualité humaine*, Montréal: Les Éditions du Méridien, 153 p.

BUREAU, Jules (1991). *Le désir sexuel : le modèle de la polarité sexuelle*, Texte mimeo, UQAM : Département de sexologie, 65 p.

BUREAU, Jules (1986). Une mort si pleine de vie, *Bulletin des groupes d'entraide en oncologie*, Montréal : Hôtel-Dieu, 16 p.

BUREAU, Jules (1985). *L'histoire d'un chevreuil et d'une hirondelle*, texte miméo, UQAM : Département de sexologie, 50 p.

BUREAU, Jules (1984). Religion et thérapie ! Religion ou thérapie ? *Bulletin de l'Association des sexologues du Québec*, 6, pp. 47-52.

BUREAU, Jules (1979). Le plaisir sexuel et la satisfaction personnelle, *Revue Québécoise de sexologie*, 1, pp. 16-25.

BUREAU, Jules (1978). *Expérience et identité sexuelle : Essai sur les sources de la condition sexuelle humaine*, Texte mimeo, UQAM : département de sexologie, 72 p.

BUREAU, Jules (1978)A. L'éducation à l'amour : un art à inventer, *Guide de la Québécoise*, 1, pp. 31-65.

BUREAU, Jules (1976). L'intérêt sexuel : structure et concepts thérapeutiques, *Études de sexologie : Théories et Recherches*, Ottawa : Educom, I, pp. 76-97.

CANNON, W.B. (1929). Bodily Changes in Pain, Hunger, Fear and Rage : An account of Recent Researches into the Function of Emotional Excitement. Cité dans Young, P.J. (1962). *Methods for the Study of Feeling and Emotion*, in D.K. Canplan (Ed.), *Emotion : Bodily Change*, New York : Appleton, pp. 57-87

DE BEAUVOIR, Simone (1949). *Le deuxième sexe*, Paris, Gallimard, 2 volumes, Vol. 1, 510 pages, Vol. 2, 560 p.

DE SAINT-SEINE, P. (1948). *Découverte de la vie*, Paris : Bloud et Gay, 162 p.

DIOLÉ, P. (1977). *La symphonie animale : les noces*, Neuilly-sur-Seine : Dargaud, 192 p.

DUBOS, R. (1982). *Les célébrations de la vie*, Paris : Stock, 399 p.

DURANT, W. (1932). *On the Meaning of Life*, N.Y. : Raylong and Richard, R. Smith, 144 p.

ERICKSON, E.H. (1968). *Identity : Youth and Crisis*, New York : Norton, 336 p.

ERICKSON, E.H. (1950). *Enfance et société*, Paris : Delachaux, 1966, 287 p.

FRANKL, V.E. (1974). *Man's Search for a Meaning*, N.Y. : Pocket books, 213 p.

FROMM, E. (1988). *Aimer la vie*, Paris : Épi, 202 p.

FROMM, E. (1964). *The Heart of Man ; Its Genius for Good and Evil*, London : Harper & Row, 156 p.

FREIDMAN, M. (1983). *Martin Buber's Life and Work*, New York : Dutton, 398 p.

GENDLIN, E.T. (1967). Neurosis and Human Nature, *Humanitas, Journal of the Institute of Man, III*, pp. 139-152.

GENDLIN, E.T. (1962). *Experiencing and the Creation of Meaning*, N.Y. : Free Press, 302 p.

GOLDSTEIN, K. (1940). *Human Nature in the light of Psychopathology*, Cambridge, Mass. : Harvard Univ. Press. 258 p.

GOUIN-DÉCARIE, Thérèse (1980). *Les origines de la socialisation* dans J.P. Saucier (Dir.) *L'enfant : explorations récentes en psychologie du développement*, Montréal : Presses de l'Université de Montréal, p.p. 17-35.

GOUIN-DÉCARIE, Thérèse (1962). *Intelligence et affectivité chez le jeune enfant*, Neuchatel : Delachaux et Niestle, 217 p.

HEBB, D.O. (1948). *The Organization of Behavior : A Neuropsychological Theory*, New York : Wiley, 335 p.

JACQUARD, A. (1978). *Éloge de la différence : la génétique et les hommes*, Paris : Éditions du Seuil, 216 p.

JAMES, W. (1890). *The Principles of Psychology*, New York, Dover (1950), Vol. 1, 689 pages, Vol. 2, 688 p.

JANSON, H.W. (1986). *History of Art*, New York : Abrams, 824 p.

JUNG, C.G. (1976). *La guérison psychologique*, Genève : Georg et Cie, 342 p.

JUNG, C.G. (1973). *Ma vie : Souvenirs, rêves et pensées*, Paris : Gallimard, 532 p.

JUNG, C.G. (1964). *Dialectique du moi et de l'inconscient*, Paris : Gallimard, 274 p.

JUNG, C.G. (1962). *L'homme à la découverte de son âme*, Paris : Payot, 347 p.

JUNG, C.G. (1960). *Un mythe moderne*, Paris : Gallimard, 313 p.

KOPP, S. (1972). *If you meet the Buddha on the Road, kill him ! The pilgrimage of Psychotherapy patients*, N.Y. : Bantam, 239 p.

KRECH, D. ; CRUTCHFIELD, R.S. ; LIVSON, M. ; KRECH, Norma (1979). *Psychologie*, Montréal : Éditions du Renouveau psychologique, 603 p.

KÜNG, H. (1981). *Dieu existe-t-il ? Réponse à la question de Dieu dans les temps modernes*, Paris : Seuil, 650 p.

LÉGAULT, M. (1980). Il faut faire l'approche du sens de sa vie, *Revue Notre-Dame*, janv., 1, pp. 16-24.

LÉGAULT, M. (1971). *L'homme à la recherche de son humanité*, Paris : Aubier-Montaigne, 285 p.

MASLOW, A.H. (1954). *Motivation and Personality*, New York : Harper & Row, 369 p.

MAY, R. (1991). *The Cry for Myth*, New York : Norton, 320 p.

MAY, R. (1985). *My Quest for Beauty*, New York : Saybrook, 244 p.

MAY, R. (1958). Contributions of Existential Psychotherapy in R. May, E. Angel, H.F. Ellenberger, (Eds.) *Existence, A New Dimen-*

sion in Psychiatry and Psychology, New York : Basic Books, pp. 37-91.

MAY, R. ; ANGEL, E. ; ELLENGERGER, H.F. (Eds.) (1958). *Existence : A New Dimension in Psychiatry and Psychology*, New York : Basic Books, 445 p.

McCANN, J.T. ; BIAGGIO, Mary-Kay (1989). Sexual Satisfaction in Marriage as a Function of Life Meaning, *Archives of Sexual Behavior*, Vol. 18, pp. 59-72.

MERLEAU-PONTY, M. (1945). *Phénoménologie de la perception*, Paris : Gallimard, 531 p.

NISOLE, J.A. (1981). *Du Clair à L'obscur : deux issues d'ontoanalyse*, Montréal : Aurore Univers, 103 p.

PIAGET, J. (1968). *La naissance de l'intelligence chez l'enfant*, Paris : Delachaux et Niestlé, 370 p.

PIAGET, J. (1961). *La psychologie de l'intelligence*, Paris : Armand Collin, 192 p.

REEVES, H. (1986). *L'heure de s'enivrer : l'univers a-t-il un sens ?*, Paris : Seuil, 280 p.

ROGERS, C. (1978). The Formative Tendency, *Journal of Humanistic Psychology*, *18*, pp. 22-26.

SARTRE, J.P. (1947). « Huis clos », *Théâtres*, Vol. 1, Gallimard, NRF, Paris, p. 182.

SARTRE, J.P. (1943). *L'être et le néant*, Paris : Gallimard, 691 p.

ST-ARNAUD, Y. (1982). *La personne qui s'actualise : Traité de psychologie humaniste*, Chicoutimi : Gaétan Morin Éditeur, 262 p.

SULLEROT, Evelyne (Dir.) (1978). *Le fait féminin : Qu'est-ce qu'une femme ?*, Paris : Fayard, 520 p.

TEILHARD DE CHARDIN, P. (1961). *Hymne de l'univers*, Paris : Seuil, 173 p.

TEILHARD DE CHARDIN, P. (1955). *Le phénomène humain*, Paris : Seuil, 318 p.

THINES, G., LEMPEREUR, A. (1984). *Dictionnaire Général des Sciences Humaines*, Paris, CIACO, 1034 p.

THOMPSON, Suzanne, C. ; JANIGIAN, Aris, S. (1988). Life Schemes : A Framework for Understanding the search for Meaning, *Journal of Social and Clinical Psychology*, *7*, pp. 260-280.

WILBER, K. (1981). *Up from Eden : A Transpersonal View of Human Evolution*, New York, Anchor Press, 372 p.

WINNICOTT, D.W. (1971). *Jeu et Réalité*, Paris : P.U.F. 213 pages

YALOM, I.D. (1980). *Existential Psychotherapy*, New York : Basic Books, 524 p.

Table des matières

ACHEVÉ D'IMPRIMER
CHEZ
MARC VEILLEUX,
IMPRIMEUR À BOUCHERVILLE,
EN OCTOBRE MIL NEUF CENT QUATRE-VINGT-DIX-SEPT